HOTEL CHILE

colección andanzas

Obras de Luis Sepúlveda
en Tusquets Editores

LUIS SEPÚLVEDA
HOTEL CHILE

Fotografías y edición de Daniel Mordzinski

TUSQUETS EDITORES

1.ª edición: noviembre de 2022

Diseño de la colección: Guillemot-Navares
Reservados todos los derechos de esta edición para
Tusquets Editores, S.A. – Av. Diagonal, 662-664 – 08034 Barcelona
www.tusquetseditores.com
ISBN: 978-84-1107-189-5
Depósito legal: B. 18.573-2022
Fotocomposición: David Pablo
Impresión y encuadernación: Liberdúplex, S.L.
Impreso en España

Índice

Prólogos a una amistad

Hotel Chile
Prólogo de Daniel Mordzinski

La historia me ha llegado así:

Se llamaba Luis y era cocinero. Dicen que uno de los mejores. A finales de la década de los años cuarenta recibió la proposición de trabajar en el hotel-restaurante Francisco de Aguirre, en La Serena, una ciudad del Norte Chico de Chile, a orillas del Pacífico, la segunda más antigua del país. Lo consultó con Irma, su mujer, y juntos decidieron dejar Santiago para probar suerte.

La noche anterior al viaje, Luis no durmió, acarició con suavidad el vientre crecido de Irma, imaginando el rostro de su primer hijo, y se dijo que había tomado la buena decisión.

Por la mañana, el puelche, el viento de los Andes, soplaba con fuerza siguiendo su eterno recorrido desde la cordillera hacia el mar. Remolinos de aire pintaban rubores en sus mejillas. Pero estoy convencido de que no era ese viento el que le nublaba la vista. Quienes hemos tenido que dejar nuestro lugar para buscar fortuna en otras tierras sabemos que los recuerdos de la vida que dejamos pesan más que las propias circunstancias de esa partida. Cómo no habría de costarle a él echarle llave a la que había sido durante años su casa en la capitalina calle Pedro Mira.

El Ford Custom estaba impoluto, lo había revisado y lustrado a conciencia para el largo periplo que les esperaba. Terminó de cargar el coche y, sin mirar atrás, agarró la mano de Irma y arrancó.

Tomaron la carretera Panamericana, la mítica Ruta 5, que cruza el país verticalmente de un extremo a otro y que tantas veces había recorrido para llegar a la Patagonia. Solo que esta vez lo hizo en dirección opuesta. Rumbo al norte.

Sé que condujo despacio para evitar los sobresaltos y los mareos de su esposa. Los primeros cuatrocientos kilómetros transcurrieron suaves y sin problemas. Sé también que, a la altura de Ovalle, Irma comenzó a sentir fuertes dolores y decidieron hacer una pausa en el primer hotel que encontraron. Llamaron a un doctor. Vino una partera. Dos días después, el 4 de octubre de 1949, tuvo lugar el alumbramiento.

Le podrían haber puesto Ulises, porque el suyo era el nacimiento de un viajero, pero lo llamaron Luis, como el padre: Luis Humberto Sepúlveda Calfucura.

Hoy Lucho está muerto. El coronavirus, el bicho malo, lo mató. Cuarenta y seis días de lucha (la suya), de esperanzas (las nuestras), de *mano a mano* con la enfermedad, de mensajes cotidianos con la familia. Cuarenta y seis largos días esperando el parte médico del mediodía y el milagro que no llegó.

El 16 de abril de 2020, a las 10.16 de la mañana, Lucho entró al mar, como llamaban los florentinos a la muerte. Luis, capitán de todos los mares y de todas las campañas de Greenpeace, rompió amarras en el Hospital Universitario Central de Asturias, en Oviedo, a pocos kilómetros de su casa gijonesa y del recio mar Cantábrico, que fue su vecino durante los últimos veintitrés años de su vida.

Ese día algo se apagó en mí, y desde entonces ando como a oscuras, perdido y desorientado, necesitado de movimiento.

Por eso he terminado por aterrizar en Lisboa, en la casa de otro amigo del alma común ido cuatro años antes, el escritor mexicano Antonio Sarabia, mi invisible anfitrión y compañero de trabajosas horas de ejercicio de la memoria, y he plantado aquí unas pocas cosas, no sé por cuánto tiempo, en el país donde la enfermedad de Luis empezó a manifestarse durante el festival literario Correntes d'Escritas, en la ciudad marítima de Póvoa de Varzim, que fue donde nos despedimos con un «hasta pronto hermano», con un abrazo apretado, el 22 de febrero de 2020. Era la última vez. Entonces no lo sabíamos.

Luis Sepúlveda había sufrido en Chile la clandestinidad, el encierro y el exilio, recorrió América Latina, vivió unos años en Alemania y en Francia y terminó por instalarse en la ciudad de Gijón, en el corazón de Asturias.

En la década de los noventa alcanzó uno de los mayores éxitos literarios internacionales de la literatura. Pero lejos de los focos y del ruido de las capitales, fue un ciudadano comprometido con su época y con la sociedad.

A lo largo de nuestros treinta años de amistad, Luis me habló muchas veces de Chile, siempre con amor, en ocasiones también con dolor. Me contaba de la distancia, de la imposibilidad del regreso, de la frustración porque su obra tuviera tantas dificultades para llegar a los lectores chilenos, del escaso eco que recibía en los medios culturales del país y de cómo la Academia le daba la espalda. Eso lo escuché de labios de Lucho durante muchos años, y en particular a lo largo de los tres viajes que juntos hicimos a Chile.

Partimos por primera vez a mitad de los años noventa en dirección sur —la Patagonia y la Tierra del Fuego eran nuestro destino—, con el objetivo y la ilusión de hacer un libro juntos. Ese viaje y otros dos más, del lado argentino, dieron forma, quince años después, al volumen *Últimas noticias del Sur*.

En noviembre de 2014 emprendimos un largo periplo por la Ruta 5 hasta Puerto Montt. A lo largo del camino, Lucho me contó anécdotas que parecían salidas de sus libros; de regreso a Santiago, recorrimos juntos sus geografías de juventud: la pensión de la poeta Escilda Greve, donde compartía un cuarto con Pablo; el Liceo N.° 8 San Miguel; la sede del Partido Socialista y la casa de la calle Pedro Mira.

Un año después, en noviembre del 2015, participamos en el festival Puerto de Ideas, en Valparaíso. Conservo de esos días recuerdos nítidos y emotivos. Al finalizar regresamos nuevamente a las calles de Santiago, y, con Lucho y Víctor Hugo de la Fuente, acompañamos a la poeta Carmen —Pelusa— Yáñez, la compañera y el amor de toda la vida de Lucho, a otro regreso trascendental: el campo de torturas y detención de Villa Grimaldi, donde ella había estado internada durante la dictadura militar.

Hacia el Sur. Ruta 5 (2014)

Recorrimos el campo, convertido hoy en museo de la memoria, entre silencios y breves comentarios de Pelusa, quien, a manera de latigazos, nos contaba «aquí se levantaban los barracones», «este es el terreno de rosas cuyas espinas sentía cuando me llevaban encapuchada a torturar». Frente a un cartel que tenía grabados los nombres de las detenidas y los detenidos en el Campo, un grupo de estudiantes se puso a conversar con nosotros. Carmen les contó que su nombre estaba allí. Lucho se presentó y las pibas y los muchachos nos contaron con emoción lo que había significado para ellos, jóvenes lectores, *Un viejo que leía novelas de amor* o *Historia de una gaviota y del gato que le enseñó a volar...*

Esos tres viajes marcaron mi vida y sellaron para siempre nuestra hermandad, y me dejaron claro que Sepúlveda no quería que el regreso a su país fuera desde la renuncia a toda una vida de lucha, dulcificando o enmascarando lo que pensaba. Él era consciente de que el país que había dejado en su juventud ya no existía, pero estaba convencido de que su vínculo con Chile no se había roto, porque un país es más que la cambiante situación política y el paso de las modas, y porque él era rabiosa, irremediable y apasionadamente chileno, en el afecto y en las puteadas.

Lucho quería volver a mirarse a los ojos con su país desde el cariño, pero también desde la dignidad. Creo que se sentiría feliz si pudiera verme hoy en

Chile, escribiendo estas líneas durante una noche de insomnio, en la casa de otro gran amigo común, Víctor Hugo de la Fuente, en Santiago de Chile, tras participar nuevamente en el festival Puerto de Ideas, en un sentido y necesario homenaje a la obra y a la vida de Luis Sepúlveda.

Hotel Chile nace de mi necesidad de ponerle punto final a este duelo, y es un puente transversal entre literatura y fotografía, son flashes de una «foto-biografía» que incluye textos de Luis, que dialogan con mis fotografías; un tándem que nos permite asomarnos a los lugares que tuvieron especial sentido en la vida del escritor, desde las ciudades de su infancia y juventud hasta aquella última en la que residió hasta su muerte, descubrir las anotaciones de sus sueños y la evocación íntima de sus afectos familiares, acompañarlo en su pasión por el viaje y por la historia de los perdedores. Muchas de estas imágenes sirvieron de marco a algunos de sus relatos más famosos y nos acercan a un Lucho que es muchos «Luchos»: el narrador, el cineasta, el poeta, el combatiente, el padre, el compañero, el amigo.

Es también un doble homenaje: el del amigo y compañero de ruta, y el del fotógrafo que tuvo el privilegio y la oportunidad de documentar, con total

En página siguiente: Con Carmen Yáñez en el centro de detención y tortura de Villa Grimaldi, Santiago de Chile (2015)

libertad creativa, la crónica subjetiva, personal y necesariamente sentimental de aquellos años felices. Es también, sobre todo, la necesidad de transformar el dolor y el desasosiego en creación.

Volver a adentrarme en los senderos de un nuevo libro junto a Lucho —aunque él ya no esté aquí conmigo— es decirle en mi lenguaje de imágenes lo mucho que le quiero. Es también mi manera de seguir dando noticias de su vida de hombre con alma del Sur nacido accidentalmente en el norte de Chile.

Ahora, mientras él navega infatigable por los mares más allá del fin del mundo, pienso en cuánto lo extraño, y recuerdo su generosidad, sus continuos gestos de consideración por el prójimo, y me siento orgulloso de haber sido amigo, compañero de tantos viajes y hermano de una de las voces más dignas y firmes de la literatura.

Y para sentirlo de nuevo cerca, en este diálogo desentendido de la muerte, recupero a continuación el prólogo que él escribió para *Últimas noticias del Sur*, donde daba cuenta de nuestra complicidad. No se me ocurre mejor puerta de entrada a *Hotel Chile*.

Santiago de Chile, 15 de noviembre de 2021

En Puerto Montt (2014)

En París (1996)

Últimas noticias del Sur
Prólogo de Luis Sepúlveda (2011)

Una tarde de 1996, tomando unos mates en París, nació la idea de este libro. Con Daniel Mordzinski, mi «socio» en todo lo que sigue, teníamos ganas de superar la relación de eterno concubinato texto-fotografía que nos había llevado por el ancho mundo haciendo reportajes para revistas y periódicos, porque siempre se trató de encargos limitados en extensión, cantidad de fotos y, muchas veces a la hora de publicarlos, sujetos a voluntades que oscilan entre lo políticamente correcto y el miedo a perder el empleo. La moderna censura ejercida no por temerosos del desempleo sino de ser «desincorporados del mercado», no prohíbe, sino que tacha, corta, «edita» en nombre de una mesura cobarde, de una prudencia pusilánime.

Así que un día nos largamos al sur del mundo a ver qué encontrábamos por esos pagos. Nuestro itinerario era muy simple: el viaje empezaba en San Carlos de Bariloche por razones logísticas, a partir del paralelo 42° Sur, siempre en territorio argentino, bajába-

mos hasta el cabo de Hornos, y regresábamos por la Patagonia chilena hasta la Isla Grande de Chiloé. Unos tres mil quinientos kilómetros, más o menos, y a pesar de la simpleza de ese itinerario no dejaba de tener el sello de los viajeros ingleses, que siempre viajan a confirmar una hipótesis, y si esta no coincide con la realidad que encuentran, pues mala suerte para la realidad. La nuestra sostenía que íbamos a ser capaces de recorrer esa distancia en aquel viaje, pero todo lo que vimos, oímos, olimos, comimos, bebimos apenas echamos a andar, nos dijo que al cabo de un mes apenas haríamos unos cientos de kilómetros, y como no somos ingleses olvidamos la condenada hipótesis.

A las pocas semanas de regresar a Europa mi socio me entregó una carpeta de bellas fotos en formato de trabajo, y nunca más hablamos del libro. Lo que vimos y vivimos en el sur se transformó en tema de conversación con los amigos, su compañera y la mía se saben al dedillo muchas de las anécdotas de aquellos días de mochila y viento, sus hijos y los míos han escuchado atentos a estos dos veteranos del camino y tal vez sean ellos los que retomen la senda. Nunca más hablamos del libro, porque mi socio entiende que los libros son unos bichos muy extraños, imprevisibles, y que hay historias que prefieren ser contadas al calor de un vino, les gusta acomodarse de mil maneras en la

Página anterior: En el Patagonia Express. El Maitén (1998)

boca del que narra, hasta que llega el momento en que ellas y solo ellas deciden ser palabras sobre papel.

Mis libros siempre se ordenan solos, su orden es aleatorio, anárquico, porque no quieren ser la memoria del autor, quieren ser la memoria colectiva y se van escribiendo como el aire puro y limpio que las mejores gentes defienden con todo su empeño.

Cada una de las historias que siguen está, con seguridad, rodeada por el hálito de lo inexorablemente perdido, por ese «inventario de pérdidas» del que habló Osvaldo Soriano y que es el precio cruel de nuestra época. Mientras hacíamos el camino, sin rumbo fijo, sin tiempo fijo, sin brújula ni trampas, esa formidable mecánica de la vida que siempre reúne a los iguales nos llevó a encontrar a muchos de esos «bárbaros» a los que

Con Osvaldo Soriano, en Saint-Malo (1996)

alude el poema de Konstantinos Kavafis. Sus sueños fueron temibles y por eso los aniquilaron o arrojaron a los territorios extremos decididos para los «bárbaros», pero, aun así, sus sueños siguieron sembrando insomnios entre los señores del poder, que advirtieron del peligro del regreso de los «bárbaros», tanto, que la amenaza se convirtió en obsesión y desde los bancos se dieron órdenes para desacreditar a los «bárbaros», se escribieron libros entre tres incapaces de pensar por uno sobre la «idiotez de los bárbaros», y ellos respondieron plantando bosques, imaginando una alternativa a la deshumanización del sistema imperante, organizando la vida para que vivir fuera algo más que un verbo.

Así, tomando unos mates con ellos, con los «bárbaros», vimos cómo la aurora austral escribía con caligrafía eléctrica los últimos versos del poema de Kavafis:

Pero ya es de noche y los bárbaros no han llegado.
Y algunos recién venidos de la frontera
dicen que ya no existen los bárbaros,
¿Y qué vamos a hacer sin bárbaros?
Esa gente era una especie de solución.

Extraños bichos los libros. Este decidió su forma final hace cuatro años, cuando, volando sobre el estrecho de Magallanes en una frágil avioneta que daba tumbos a merced del viento, mientras el piloto puteaba a las nubes que le impedían ver dónde diablos estaba la pista de aterrizaje y los puntos cardinales eran una absurda referencia, mi socio indicó que allá abajo estaban algunas de las historias y las fotos que nos faltaban. Y así fue, en efecto. Regresamos a Europa, él a Francia y yo a España, y una vez más el libro dejó de ser el tema que nos ocupaba. Lo que mi socio siempre ignoró fue que este libro que iba escribiendo lentamente era mi refugio, el lugar al que regresaba cada vez que me sentía bien, porque así son los viajes felices a la memoria.

Un día decidí que la redacción final ya estaba terminada y llegaba la hora del adiós. No hay nada más duro que poner el punto final a una historia o a una serie de historias que uno quiere. Es una despedida definitiva. Nunca más se regresa a la felicidad de esas páginas que van cobrando vida.

Este libro nació como la crónica de un viaje realizado por dos amigos, pero el tiempo, los cambios violentos de la economía y la voracidad de los triunfadores lo transformaron en un libro de noticias póstumas, en la novela de una región desaparecida. Nada de lo que vimos existe tal como lo conocimos. De alguna manera fuimos los afortunados que presenciaron el fin de una época en el Sur del Mundo. De ese Sur que es mi fuerza y mi memoria. De ese Sur al que me aferro con todo mi amor y con toda mi bronca. Estas son, pues, las *Últimas noticias del Sur.*

Del libro Últimas noticias del Sur, *2011*

Hotel Chile

Ese Daniel...

Al escribir sobre un fotógrafo como Daniel Mordzinski se termina invariablemente hablando de uno mismo, y no por un afán de protagonismo, de no quedar
fuera de la foto, sino por una simple y sencilla razón:
Daniel, el Rusito, como lo llamamos los amigos, se
mete bajo la piel, ocupa un lugar de honor en la casa,
parte el pan en la mesa y prueba el vino que beberemos. Está en todas partes, aunque se encuentre lejos
en el mapa del presente, siempre se las arregla para
estar cerca de uno.

Es así por ejemplo que, un par de semanas antes de
escribir estas líneas, frente al golfo de Reloncaví, por
el sur del mundo, pasé frente a un circo cuya carpa
llena de remiendos era sacudida violentamente por rá-
fagas procedentes del mar y (¿se dan cuenta?, ya estoy
hablando de mí mismo) de inmediato a mi memoria
acudió la historia que me narró alguna vez en Saint-

Punta Arenas, Patagonia (1996)

En la Patagonia (1996)

Malo, o tal vez fue en la Patagonia, o en Puerto Rico, o en un extraño viaje por la Via Cassia entre Roma y Siena, o en Moscú ateridos de frío y evitando que nos secuestraran, no importa dónde, lo que importa es que Daniel me contó su primer *no* acercamiento a una cámara fotográfica.

En un circo bonaerense tal vez tan pobre como este de carpa azotada por el viento, sorteaban una cámara fotográfica entre el público, Daniel se sabía el número para el sorteo, lo tenía grabado en su memoria, y cuando el director del circo, entre fanfarria musical, anunció el número ganador, era ese, el número de Daniel, pero su padre había perdido el billete y, por más que lo buscaron, no apareció jamás.

Cuando Daniel contó esta historia vi esa cámara, una elemental, una de esas en las que había que pasar el rollo de película mediante un extraño mecanismo de engranajes metidos en los bordes del rollo Kodak o Agfa, de 24 o 36 posibles fotos como máximo. Era de plástico, lo sé, no vi jamás esa cámara, pero lo sé, con la misma certeza visual con que todavía veo a Daniel en un paraje de la Patagonia, con los dos brazos metidos en una bolsa negra y a punto de ser levantado por el viento inclemente, mientras pasaba película de un tambor a los carretes de su Leica.

Daniel Mordzinski, el Rusito, contagia lo visual, o, mejor dicho, torna visuales hasta los deseos. «Vamos, Sepúlveda, demuestre lo que afirma», dirá alguno. Vale. Hace ya como quince años, estábamos en la Tierra del Fuego y Daniel hizo entonces varias fotos de un tipo extraño, un solitario insuperable, un sujeto que se movía sin más compañía que las dos o tres canciones que sabía silbar y buscaba oro en los ríos limpios del sur del mundo. Daniel le hizo varias fotos pero faltaba una, siempre falta una, la elemental, que en este caso era una foto de ese hombre metido en el agua, sumergiendo la callana de metal y mirando qué había entre la arena y los guijarros. Ese hombre lleva-

Página siguiente: Con Juan Gelman, en París (1997)

ba mucho tiempo sin sacar ni una escama dorada, pero bastó que Daniel imaginara una foto con una pepa de oro en la callana para que ocurriera, y entre las exclamaciones de júbilo de ese ermitaño, clic, listo, ahí estaba la realidad espontánea, el momento preciso que solamente Daniel es capaz de ver a fuerza de deseo.

Hay quienes se preguntan por qué Daniel es tan querido por las escritoras y escritores, por qué se ha convertido en el gran fotógrafo de escritores, y me atrevo a formular una respuesta: Daniel es un narrador de imágenes, sus fotos, aunque no se mueven, son planos secuencias de un determinado momento, invitan a ser leídas, sobre todo por los mismos retratados. «Vamos, Sepúlveda, demuestre lo que afirma», dirá el mismo hinchapelotas de siempre. Vale.

Hace un montón de años salimos a caminar por el parisino Jardín de Luxemburgo junto a Juan Gelman, la idea era estirar las piernas, hacer hambre y luego irnos a comer a un boliche argentino. De pronto, Daniel nos ordenó hacer algo; acercarnos hasta la estatua de un león y tirarle la cola. Clic. Listo. Seguimos caminando y Gelman me tomó de un brazo: «Pero cómo nos conoce este muchacho, nos hizo repetir lo que hemos hecho toda la vida; tirarle la cola al león», dijo Gelman, y seguimos andando.

En la Via Cassia, Toscana (2003)

Así es Daniel Mordzinski, el Rusito, mi amigo, mi hermano, mi socio, el inventor de un género: la fotinski. Clic, listo. Lo que escribo no es ciertamente un retrato de Daniel, digamos que es una polaroid de mi afecto, o algo así.

Gijón, 2014

Daniel y Luis en Punta Arenas (1998)

Arriba: Santiago Gamboa, Luis, Anne Marie Métailié, Hernán Rivera Letelier, Antonio Sarabia y Mario Delgado Aparaín, en Pau (1999)

Abajo: Con Beatriz de Moura, en la Feria del Libro de Frankfurt (1994)

El último faquir

Claro que es cierto.

Nadie puede decir que usted tuvo otro amigo mejor que este que ahora le habla chupándose las lágrimas, y aunque fueron pocas las personas que nos conocieron, yo creo que todos se percataron de este cariño inmenso que se dejaba notar así, despacio, como se expresa el verdadero cariño de los hombres, que a veces no precisa de mayores palabras, y basta con llenar el vaso sin derramar el vino.

Cariño de hombre simplemente. Cariño de un paquete de cigarros lanzado a la mesa sin más explicaciones que las ganas de fumar que se adivinan. Cariño, silencio y palmada en la espalda luego de escuchar durante horas el rosario de desgracias que siempre lo acorralaron. Cariño de hombre que casi todos vieron, casi todos, menos usted, por cierto.

Acuérdese, compadre. Porque somos compadres, ¿no? Acuérdese de que fui yo quien le dijo una mañana que tenía que hacer como los artistas del teatro, quienes como mucho dan dos funciones al día. Acuérdese de que fui yo quien le insistió en eso de darse categoría y de respetar el puñado de talento que a veces nos sale desde la angustia y el estómago vacío. Y acuérdese también de que fui yo el que llegó un día con el cartelito recién pintado sobre una cartulina blanca. ¡Lindo que me quedó! Sí, todavía me acuerdo:

«Ya no hay duda que valga y la verdad se impone en este mundo de farsantes. La prensa y la televisión lo han demostrado a millones de incrédulos. Alí Kazam es el último de los verdaderos faquires que nos van quedando. Alí Kazam come focos eléctricos como si fueran galletas de obleas y traga hojas de afeitar como quien toma analgésicos. Alí Kazam logra estas proezas merced a su vida vegetariana, que sobrelleva con más consecuencia que un caballo. Alí Kazam es flaco pero sano y agradece la cooperación del respetable público que observa atónito sus representaciones. Dos veces al día Alí Kazam tragará ante ustedes toda clase de vidrios y objetos metálicos, retirándose luego a descansar, a meditar sentado en una tabla erizada de clavos.

»Vengan usted y su familia y vean a Alí Kazam, el último verdadero faquir que nos va quedando en estos tiempos de timo e imitación. Alí Kazam se presentará solo por unos pocos días en esta ciudad antes de proseguir su viaje, que empezó en su patria, la lejana y misteriosa India, en busca de la paz y la verdad».

Y perdóneme que le recuerde, compadre, porque somos compadres, ¿no?, que fui yo también quien le puso el nombre, porque de no haber estado yo presente, usted y su idea del «Gran Mauricio» no hubieran llegado ni a la esquina. Si hasta el turbante se lo hice yo pues, compadre, copia fiel de uno que salía en *Selecciones,* porque de algo sirve a veces el haber leído. Turbante digno de un sultán me salió pues, compadre, muy diferente a ese montón de esparadrapo con que le coronaban la cabeza en el circo.

Si yo le digo ahora todas estas cosas, compadre, no lo hago con la intención de cobrarle favor alguno. No. Lo hecho, hecho está y así se queda, solo quiero recordarle que sin mí usted nunca hubiera figurado ni se hubiera leído su nombre de artista en más de algún periódico.

Acuérdese de que en el circo lo dejaron finalmente para que cambiara el aserrín que meaban los leones, porque cuando le dio el calambre en plena función de gala, quedó de sobra demostrado que para hombre de goma usted no tenía ningún talento. Y entonces, ¿quién se fijó en su cuerpo flacuchento, todo tiritón y tratando inútilmente de sacarse la pata de la nuca? Yo pues, compadre. Su amigo.

Acuérdese de que yo me acerqué, sin hacer caso de las carcajadas del respetable público e ignorando las puteadas del empresario, que lo ayudé a desanudarse y le dije: «Compadre, viéndolo bien, usted tiene una irresistible pinta de faquir», y usted, compadre, me miraba con esos ojos suyos, ojos de ternero en el umbral del sacrificio, y no tenía ni la menor idea acerca del tremendo futuro que yo le estaba fraguando.

¿Quién le prestó los libros de Lobsang Rampa para que aprendiera algo de la India? Yo pues, compadre. Su amigo.

¿Quién no dijo ni pío cuando usted cambió los libros sin haberlos leído siquiera por algunos botellones del tinto más malacatoso?

Este pecho pues, compadre. Su amigo.

Acuérdese de que yo le enseñé cómo hacen los marinos mercantes para mascar los vidrios hasta convertirlos en harina y esconderlos debajo de la lengua. Acuérdese de que yo le conseguí las ampollas de pintura, de esas que llevan los magos en el sombrero cuando hacen el truco de los huevos, y acuérdese de que yo le compré las botellas de aguardiente, del más fortachón, del guarapón de curtiduría pues, compadre, para que se le secaran las encías y se le pusiera dura la boca. Haga memoria, compadre, y dígame si no fui yo quien le enseñó cómo meterse las hojas de afeitar entre los dientes, despacio, muy despacio, sin tocar las encías, para poder luego partirlas moviéndolas con la lengua. Y no se olvide de cuánto me costó conseguir las inyecciones de anestesia para cuando hacía el número de atravesarse alfileres en los brazos.

No es que yo le esté cobrando nada, compadre,

porque somos compadres, ¿no? Solo quiero decirle que nadie, ni usted mismo, puede decir que hubo otro amigo mejor que yo en su vida. El amigo que lo formó, que lo llevó de la mano por los derroteros del éxito y le hizo beber del vino del aplauso. Yo pues, compadre, su amigo, el que lo hizo artista.

Pero usted, compadre, y perdóneme que se lo diga ahora en estas circunstancias tan risibles, siempre fue un porfiado, más porfiado que una mula.

Tantas veces le repetí: «Compadre, ha de entender que por sobre el talento cada hombre tiene sus propias limitaciones», pero hablarle a usted, compadre, se fue haciendo cada vez más impracticable, tal vez, ahora que lo pienso, porque la fama se le fue subiendo a la cabeza.

Acuérdese de que casi me mató de rabia en todas aquellas ocasiones en que se bebió el aguardiente sin haber hecho ninguna prueba, y tuve que explicarle al respetable público que su caminar trastabillante no era consecuencia de una borrachera, sino la natural debilidad del ayuno observado por todo faquir que se respete, o, para ser más explícito, ¿se acuerda, compadre, de esa vez en que le conseguí la primera actuación en la tele?, ¿se acuerda de que la noche anterior, y sin decirme ni media palabra, dejó la capa empeñada en un prostíbulo? Tuve que recorrer todos los burdeles del puerto para recuperar el traje de faquir y, preguntando al puterío, encontré por fin la capa sirviendo de mantel en una mesa pringosa. «Le compro la cortina», me dijo un marica vestido de fandanguero, como si no me hubiera costado veinte noches de pincharme los dedos el bordarle los signos del horóscopo en el mismo orden en que aparecen en el Almanaque Bristol.

Cuántas veces le dije: «Compadre, no salga a tomar con el traje de faquir, ¿no ve que piensan que es un loco?». Y usted dale que dale con que lo confundían con el embajador de Pakistán.

¡Ay, compadre! Compadrito, perdóneme que se lo repita, pero usted fue un porfiado, más porfiado que una mula.

Ahora que estoy sentado, ahora que me he fumado casi un paquete de cigarros, pienso y pienso y por más que le dé vueltas al asunto no logro imaginarme de dónde demonios sacó el sable. Según el enano, usted dijo con bastantes tragos en el cuerpo: «Ha llegado la hora de que Alí Kazam haga una prueba nunca vista en este circo de mierda. Ha llegado la hora de que Alí Kazam, el último faquir, deje de comer clavos y tachuelas de zapatero y se trague un sable entero. Un sable de caballería, sin sal y hasta el mango».

Cuando me llamaron, compadre, yo estaba tranquilamente sentado junto a mi copita de vino, usted sabe, esos vinitos tranquilos que yo me tomo, esos vinitos sin escándalo, esos vinitos silenciosos en los que me concentro y voy creando las nuevas pruebas con las que cosechamos tantos aplausos. Para serle franco, compadre, estaba pensando en una prueba tremenda, un número espectacular para el que solo necesitábamos doblar la dosis de anestesia en sus brazos y, por sobre todo, estaba aprendiendo a confiar en usted. Estaba a punto de confiar en usted y, como prueba, compadre, acuérdese de que lo dejé solo en las tres últimas funciones, pero, como dice la Biblia, «ya ve», usted nunca se ganó la confianza total de la gente; siempre con sus arrebatos de última hora.

Cuando me llamaron, compadre, partí corriendo. Usted sabe que nunca lo dejé solo en sus momentos de apuros, y perdóneme, compadre, pero palabra que me dio risa cuando vi cómo lo sacaban sentado en la camilla, con las piernas cruzadas, con la boca tremendamente abierta y medio sable metido en el cuerpo.

Al verlo, casi me voy de espaldas, pero finalmente me dio risa verlo en esa situación, con los ojos cerrados y dos hilitos de sangre cayendo de sus labios. Me dio risa ver cómo los enfermeros le sujetaban las manos para que no tratara de sacarse el sable usted mismo, o metérselo hasta el fondo para ganar la apuesta.

Perdóneme que se lo diga ahora, compadre, pero usted no habría cambiado nunca.

Un enfermero me ha dicho que ya le han sacado el sable y que me lo van a entregar pronto. Yo le pregunté si lo que me van a entregar es el sable, y el enfermero me dijo que también, pero que se refería a usted. «Apenas lo terminen de zurcir se lo entregamos», me dijo.

Afuera, compadre, hay una mujer llorando. ¿Por qué no me dijo que era casado, compadre? Me ha gritado un montón de insultos y me ha amenazado con mandarme a la cárcel porque yo soy el responsable de su tontería de creerse faquir. Yo me he tragado los insultos, compadre, usted me conoce. Lo único que le he dicho es que «yo le enseñé un oficio, señora, digamos que soy su mánager y, de paso, su mejor amigo», pero ella sigue gritando allá afuera que yo soy el único responsable de su locura.

Pero aquí me tiene pues, compadre. Esperando a que me lo entreguen, a lo mejor envuelto en la misma capa que yo le bordé y que tan buenos tiempos nos ha dado, a lo mejor envuelto en una sábana o en una bolsa de plástico. No importa. Aquí tiene a su compadre, a su mejor amigo, siempre al pie del cañón, como en los buenos tiempos.

Yo no sé qué va a pasar más tarde, pero quiero que una cosa quede ahora bien clara: yo fui su mejor amigo, compadre, el que le enseñó los trucos que dejaban a la gente boquiabierta, el que le bordó la capa y le compró los talismanes de la buena suerte, el que lo acompaña ahora separado por una pared blanca, el que tendrá que pagar el cajón, los cirios y el cura, el que conseguirá la corona a nombre del sindicato circense, el que peleará por que su muerte sea considerada un accidente de trabajo, el que pedirá un minuto de silencio por el alma de Alí Kazam en la función de esta noche.

Ahora se abre una puerta, compadre. Dos hombres traen una camilla y alcanzo a reconocer una de sus zapatillas puntiagudas.

Uno de los hombres pregunta: «¿Quién se hace cargo del fiambre?», y le respondo: «Yo, señor». «¿Pariente?», pregunta el enfermero. «No, su mejor amigo», le digo, porque es cierto.

Del libro Desencuentros, *1970, 1997*

En París (1999)

Palabras sobre París

No sé si fue uno o si fueron muchos los que escribieron o dijeron que París es una ciudad para ser feliz. Tampoco recuerdo cuándo lo dijo/dijeron, escribió/escribieron. No importa. Suscribo plenamente el manifiesto. Para ser feliz, sí, y también para solucionar las dolencias que afectan al espinazo, porque París exige caminar bien erguido; su insólita belleza no se encuentra a ras de tierra, sino en las alturas, en la prodigiosa arquitectura que se repite incansablemente a partir del cuarto piso.

La primera vez que recorrí sus calles tenía diecinueve años y unas ganas enormes de contar historias. Encontré algunas en el inolvidable hotel Neptune, establecimiento cuya máxima categoría consistía en no tener ni una sola estrella, pero sí unas ventanas que daban a la Rue Gabrielle y desde las que podía observar el ajetreo de los gatos en otoño, teniendo como telón de fondo el Sacré-Cœur. Era el año 69, del Mayo del 68 no quedaban más que rostros arrepentidos, y los adoquines desaparecían bajo una costra de asfalto y conformismo. Aquel fue mi París durante dos semanas. Y fui feliz, intensamente feliz.

En 1980 regresé, esta vez de la mano de Julio Cortázar, cronopio que preparó una rigurosa ceremonia antes de hacerme cruzar el Pont Neuf, y que consistía en beber unos cuantos coñacs en la terraza de la Samaritaine mirando hacia la Rive Gauche en una tarde de lluvia. Mientras las sombras se adueñaban de la ciudad nosotros hablábamos de las terribles paradojas que ofrecía la vida: por ese mismo tiempo una famosa bióloga pedía socorro para salvar a los últimos gorilas de Ruanda, y nosotros proponíamos el exterminio de todos los gorilas sudamericanos. Durante los siguientes tres años regresé a París cada vez que pude.

Algo inexplicable me decía que una porción de dicha, esa que merecemos todos, aguardaba en algún cruce de calles, en algún portal, escondidita entre los escaparates de alguna librería, entre los transeúntes que salían de las *boulangeries* cada uno con una *baguette* caliente en las manos, como si aquellas barras de pan fueran las varitas mágicas que conjuraban cualquier desgracia.

Y fui feliz buscando. Intensamente feliz.

El 12 de febrero de 1984, Cortázar abandonó las calles de París, y yo me dije que ya no quería regresar. Pero París insistió, tendió sus redes de luces y de sombras, de aroma de pan y de vino tinto, y casi ocho años más tarde me vi de nuevo entre sus calles, pero no solitario, ni tampoco buscando. París me ofreció un racimo de amigos y una boca roja que susurró las palabras de amor que jamás leí en ninguna historia. Entonces decidí ser consecuente con una frase en la que creo: «Uno es de donde mejor se siente», y me afinqué en el barrio que llamo mi barrio, en la calle que llamo mi calle, en la boca del metro Colonel Fabien, que llamo mi entrada a lo que los días me deparen.

Y soy feliz, intensamente feliz recorriendo el Parc des Buttes-Chaumont y sus escenografías interiores

Junto a la tumba de Julio Cortázar, en el cementerio de Montparnasse (1998)

que recuerdan una *belle époque* concebida por Walt Disney, caminando desde la Place de Stalingrad por el Quai de la Loire, siguiendo la orilla del Bassin de la Villette hasta que las esclusas de la Rue de Crimée lo estrechan convirtiéndolo en el canal de L'Ourcq, o caminando de regreso por el Quai de la Seine hasta el canal de St. Martin. Y si es un día de lluvia aumenta mi felicidad, porque, con las manos en los bolsillos y un pucho en la boca, espero a que del Metro surja la causante de mi dicha. Y sé que a Mario Benedetti no le importará si le cambio una palabra: «Si te quiero es porque sos mi amor, mi cómplice, y todo, y en París codo a codo, somos mucho más que dos».

París, otoño de 1994

Correspondencia

Carta de Luis Sepúlveda al escritor José Manuel Fajardo (1995)

Laufenburg, 12 de agosto de 1995

Querido Fajardo:
La verdad es que esta nota pude mandarla por fax, pero otra gran verdad es que con el paso del tiempo le voy agarrando cierta animadversión al aparato, incluso al verbo faxear, que me parece horrible y casi obsceno. De tal manera que decido darle una chance de existir a esa institución tan humana que se llama cartero.

Me repongo de Gijón y de otros malos tiempos que sucedieron a la Semana Negra de la única manera que conozco: trabajando y mirando docenas de películas antiguas, que son las que me gustan.

Y además leo. Una vez más he leído tu novela, y aunque sé que soy un tipo que se entusiasma con el trabajo de sus amigos cuando es realmente bueno, tu novela me depara un doble entusiasmo y alegría, porque ahora, luego de una tercera lectura viéndola no ya como el manuscrito entregado por un amigo, sino con una saludable distancia, me gusta mucho más, me sorprende mucho más, y como sabes, compadre, no son demasiadas las novelas que nos sorprenden hoy día. Y no solo las novelas; en realidad son pocas las cosas que nos sorprenden.

Sí, son pocas, y por eso uno agradece que esta vez la sorpresa venga además de un amigo. De otra manera nos vemos en la obligación de fabricarnos nosotros mismos las sorpresas.

Hace unas noches estuve luchando amorosamente con un simpático ratón que encontré en mi cuarto. Digo luchando porque quería expulsarlo, pero sin hacerle daño, pero el ratón además de terco era listo y supo burlar todos mis intentos de exiliarlo respetando sus derechos, y evitando que cayera en las garras de alguno de los gatos. Luego de dos noches de fieros mas pacíficos combates me sacó de quicio y preparé una trampa, la clásica del resorte, alambre y trozo de queso gouda. Al poner la trampa me dije: «Es un ratón inteligente. Luego del susto entenderá que debe buscar otro refugio». Así, dejé la trampa instalada y me largué del cuarto. Fui al único bar de Laufenburg, un simpá-

Con José Manuel Fajardo en Póvoa de Varzim (2018)

tico negocio de italianos. Ahí, mientras bebía unas copitas de grapa, empecé a pensar: «¿Y si estoy actuando de manera injusta?, ¿y si el responsable de los libros roídos no es el ratón?, ¿y si los minúsculos desgarros que he encontrado en los cigarros cubanos no los ha hecho el ratón?». A continuación, me asaltó una terrible duda que me alejó de la trampa. No quise ni quiero verla. No soporto la idea de encontrar una pequeña, pequeñísima mano con cinco dedos y un anillito de plata en el anular aplastada junto al queso. Tampoco podría ver las minúsculas gotitas de sangre en la moqueta, que se dirigen a la puerta, suben los peldaños de la escala, salen al jardín y se internan en la Selva Negra, donde los lugareños cuentan que viven ciertos duendecillos que se encariñan especialmente con las bibliotecas. Ya te contaré si alguna vez me atrevo a mirar la trampa.

Si ves a Atxaga dile que publique pronto algún nuevo libro de poemas. Me hace falta leer poesía. Tengo un enorme síndrome de abstinencia de buena poesía.

Te escribo porque me gusta escribir a los amigos. Curioso el bicho de la amistad. Se instala entre el pellejo y la camisa, hace su nido y, como las urracas, se lleva trocitos brillantes, significantes o insignificantes. La diferencia la establece el insecticida de la moral y por eso no tiene importancia.

Si ves a Raquel dale un beso de mi parte. Es una gran chica.

Recibe un fuerte abrazo del doctor Sepúlveda, que pasado mañana se larga con sus enanos y examor pero todavía esposa y enorme cariño, a pasar tres semanas de vacaciones en Lanzarote.

Y sigue escribiendo, hermano. Tal vez en octubre, luego de la feria de Frankfurt, me deje caer con ordenador e impresora para abusar de tu hospitalidad y disposición de musa barbuda.

Otro abrazo,

Lucho Sepúlveda

Con Mempo Giardinelli en Gijón (2003)

Correo electrónico de Mempo Giardinelli a Luis Sepúlveda (7 de septiembre de 2011, a las 16.04 h)

Querido Lucho:
Oye, cabrón, me dicen del Filba que avisaste que no estarás la próxima semana en Buenos Aires porque estás «muy enfermo»...

Me preocupé, como es lógico, porque a estas edades nuestras ya no somos los chicos rozagantes que fuimos. Pero también sé que por eso mismo no tenemos mejor excusa que decir que estamos jodidos para no ir a determinados compromisos. Así que a mí me dices la verdad, por favor, porque no quiero andar preocupado por ti inútilmente, ¿de acuerdo?

Te mando un abrazo y de todos modos lamento no verte, porque ya va siendo hora de que vengas a mi casa a que te enseñe ¡cómo se hace un asado!

Le das un besazo en mi nombre a Pelusa y sabes que te quiero siempre,

Mempo

Respuesta de Luis Sepúlveda, un par de días después

Querido Mempo:
Me alegra saber que mis problemas de salud, si sirven
para algo, es para que un amigo querido —y grandí-
simo cabrón— me escriba unas líneas. Estoy efectiva-
mente con un problema de salud que me impide viajar al Filba, y tenía unas ganas enormes porque es un
viaje planeado con más de un año de antelación, pero
algo no está funcionando bien en el sistema respiratorio, hasta ahora sé que no son ni los pulmones ni
el *cuore*, pero jode porque me obliga a consumir unos
ansiolíticos que me dejan hecho un flan.

Así que fiel a mis costumbres me voy a internar en
un hospital alemán para que me hagan todos los exámenes que sean necesarios. Una de las cosas que más
me gusta de los alemanes es que se toman en serio la
salud de la gente, no te hinchan las bolas dándote hora
para los siguientes tres meses como aquí en España en

el caso de que necesites una radiografía o un escáner, no, los alemanes te meten a un hospital para hacerte todas las pruebas y exámenes a tiempo, y a eso voy ahora. Te vas a reír con lo que sigue, pero como tú no solo fuiste uno, sino el que más me hinchó las bolas para que dejara de fumar, y te hice caso, es muy posible que tenga un desequilibrio respiratorio ocasionado por los 4 litros de aire que me entran en los pulmones desde que dejé de fumar. Así que estoy asustado y medio jodido, pero en ningún caso «muy enfermo». Como en el chiste, no estoy «Cogieeeeendo... Cogieeeendo» sino simplemente cogiendo. En todo caso, hermanito del alma, agradezco y me emociona que te preocupes por mí.

Y lo del asado, venga, acepto, por un amigo como vos puedo comer carne quemada.

Un abrazo con todo mi cariño de siempre y un beso grande para Natalia,

Lucho

Mensaje en redes de Luis Sepúlveda después de un concierto de Silvio Rodríguez en Gijón en abril de 2016

Compañeros poetas, tomando en cuenta los últimos sucesos...

Hace pocas horas terminó el extraordinario concierto de Silvio Rodríguez en Gijón. Miles de personas cantando esos poemas que nos han acompañado por cuarenta años.

Esas canciones de Silvio que iluminaban la noche negra de la clandestinidad en Chile, cuando nos amábamos en casas secretas con la certeza de que podía ser la última vez porque fuera las hienas husmeaban nuestro rastro. Cuando besábamos a los hijos sin saber si volveríamos a hacerlo.

Esos casetes que se escuchaban a bajo volumen entre la furiosa ternura de los Compañeros, con el fierro cerca, y el mimeógrafo escupiendo la prensa

Con Silvio Rodríguez en Gijón (2016)

clandestina que repartiríamos al día siguiente, o que oíamos llorando la soledad del exilio.

En Gijón nos encontramos, los Compañeros, unidos por el amor incombustible de los Compañeros, por el calor infinito de los latinoamericanos, por el cariño sin tregua de los que llevamos el orgullo de Playa Girón bajo la piel.

Y qué bueno que Daniel Mordzinski estaba también ahí, para hacer clic clic y retratar el amor de Silvio, Carmen, Niurka y el que escribe estas líneas todavía cantando.

Con su hijo Carlos Lenin en 1984 (Colección familiar)

Mi hijo vuelve a Chile

A los chilenos nos gustan los diminutivos, quizás porque vivimos en un país demasiado grande, somos pocos y la calidez de los diminutivos nos hace sentir menos solos. Todo Carlos es un Carlitos, y quiero hablar de un Carlitos que vuelve a Chile después de veinte años de ausencia.

Dejó el país cuando tenía apenas ocho años y a decir verdad no quería irse, no quería subirse a aquel avión, ni siquiera quería ser amable con aquel señor de ACNUR, el Alto Comisionado de Naciones Unidas para los Refugiados, que lo acompañaban a él y a su madre protegiéndolos de las miradas de odio que les dirigían los soldados, sobre todo a la madre, que había sobrevivido a un centro clandestino de torturas llamado Villa Grimaldi.

Carlitos llevaba consigo una valijita. Sus pertenencias no eran muchas: algunas mudas de ropa, un suéter tejido por su abuela, un libro sobre dinosaurios y un muñeco de plástico del capitán Solo, el más simpático y valiente de los protagonistas de *La guerra de las galaxias.* Antes de subir al avión, un oficial de inteligencia le dio su primer pasaporte. En la tapa tenía sellada una misteriosa «L», con una inscripción: «Documento válido para viajar a cualquier país, pero no para regresar a Chile». Fue así como, a los ocho años, Carlitos se unió a la hermandad universal de los exiliados.

¿Carlitos era un tipo peligroso para la dictadura de Pinochet? Tal vez. El sacerdote director del colegio salesiano al que iba aseguró que nunca lo había oído pronunciar discursos subversivos, pero que sus reiteradas ausencias a las clases de religión lo hacían sospechoso. Y, además, Carlitos había dado pruebas de valentía frente a los militares: cuando en 1973 arrestaron a su padre, tranquilizó a su madre jurándole que saldría vivo porque estaba bajo la protección de Sandokán. Tres años más tarde, cuando arrestaron e hicieron desaparecer a la madre, no lloró frente a los soldados, sino que los enfrentó, diciéndoles que sobre ellos se abatiría la Confederación Galáctica.

Carlitos se llama Carlos Sepúlveda. Carlitos es mi hijo mayor. En Chile lo vi por última vez cuando tenía cinco años. Volví a verlo en Estocolmo en un frío día de enero, cuando cumplió ocho años. En unos días volveremos a vernos en Chile y festejaremos su vigésimo octavo cumpleaños. Hace un par de semanas, hablé de mi hijo con Jerome Charyn, de su vida

Con Carlos Lenin en Gijón (2019)

y de su retorno. El gran escritor me escuchó en silencio para luego murmurar: «*Carlitos come back*».

Su vida, como la de todos los niños en el exilio, no fue fácil, pero él tiene en su interior algo que siempre lo protegió de la desesperación y la frustración que mató a tantos compañeros, física o espiritualmente, o ambas cosas, con independencia de la edad. Desde el exilio, gradualmente, se enteró de la muerte de sus abuelos, sufrió la privación de su patria afectiva, pero al mismo tiempo recibió con enormes demostraciones de amor la llegada progresiva de sus tres hermanos.

Nos encontrábamos cada vez que podíamos. Yo iba a Suecia o él venía a Alemania. Durante una de esas visitas perdí al niño y encontré al adolescente. El capitán Solo fue reemplazado por una pandilla de muchachos suecos con los cuales formó un grupo de rock, y al final de un concierto, al verlo aclamado por docenas de jovencitas, me resolví a hablarle de ciertas cosas que consideré importantes.

«Ha llegado la hora de que te diga algo inteligente», le dije. «OK, viejo sabio, revélame alguna verdad universal», me respondió. «Mi abuelo decía que uno es de donde se siente mejor.» «Muy lindo. Es cierto. Yo soy de aquí», respondió, y aferrado a su guitarra Fender Stratocaster volvió a subir al escenario en medio de los gritos felices de las chicas que lo aclamaban. Siempre lo sospeché y ahora estoy seguro. Carlitos hizo de la música el lugar donde se sentía mejor. La música ha sido y es su patria. Su familia incluso, porque esa pandilla de muchachos suecos se mantuvo, antes se hacían llamar Base, ahora se llaman Psycore y son uno de los grupos de hard rock más famosos de Escandinavia, Inglaterra y Alemania.

«Uno es de donde se siente mejor», me repitió hace ocho años al presentarme a una bellísima sueca y agregó: «Se llama Linda y es mi compañera para toda la

Carlos Lenin en el homenaje póstumo a su padre,
en Gijón (2022)

72

vida». Y así ha sido y es. Se casaron en abril de 1999, hicimos una gran fiesta de la que participaron todos sus hermanos alemanes, su hermano sueco, su hermana ecuatoriana y cientos de amigos. Entre los invitados estaba mi madre, la única abuela que le quedó. Y ella le devolvió un pedazo de Chile: un jarro de plata con el cual el abuelo, mi padre, le servía el desayuno. Fue entonces cuando lo vi llorar por primera vez mientras, aferrando el jarro, repetía la palabra Chile con todo el dolor de la privación, con toda la furia amorosa de los años de exilio.

Mis hijos y yo nos entendemos con pocas palabras. Había llegado el momento de volver, de ajustar las cuentas con la vida, y comprendí que quería tenerme a su lado. En pocos días estaremos en Santiago. Carlitos no llevará consigo el muñeco del capitán Solo. Entre sus manos tendrá las de su compañera, Linda, mi amadísima hija sueca, y después de visitar las tumbas de nuestros muertos beberemos un vino chileno, un vino alegre, sano y fraterno que lo espera desde hace veinte años y que se merece, porque, como su abuelo y su bisabuelo, Carlitos pertenece a la estirpe de hombres que aman la vida y ese amor nos repite que venceremos.

Gijón, 2001

Aún creemos en los sueños

Estoy emocionado y la emoción es una confusión de sentimientos que vienen de los recuerdos, y recordamos porque tenemos memoria. Recuerdo que, cuando aún no cumplía dieciocho años, caminaba por las calles que rodean la Biblioteca Nacional con unos enormes deseos de entrar e instalarme a leer todos aquellos libros que suponía almacenados en los estantes, esos libros que sentía como míos y a los que no tenía acceso, pues en aquel tiempo una odiosa disposición burocrática impedía la entrada a los menores de edad. Así, la casa central de la Biblioteca Nacional estaba vedada para los más jóvenes, y debíamos acudir a un edificio menor, aunque no por eso menos bello, que estaba en la calle Compañía, muy cerca de la plaza Brasil.

Por entonces yo era un joven lleno de sueños, por eso mismo era militante de las Juventudes Comunistas, pues la cercanía de otros jóvenes soñadores multiplicaba mis sueños. Algunos de esos sueños eran

heroicos, de largo alcance, otros eran menores, acaso más domésticos, más humildes, más chilenos.

Uno de ellos consistía en hacerme con una copia de la llave de aquel viejo caserón, de la Sección Infantil de la Biblioteca Nacional, entrar subrepticiamente, y pasar un fin de semana sin más compañía que los libros.

Era un sueño borgiano, nerudiano, rohkiano, al que se agregaban otros poetas como Machado, León Felipe, García Lorca, y los escritores que más leía: Coloane, Yankas (nadie lo recuerda), Nicomedes Guzmán, Baldomero Lillo, Juan Godoy, Sepúlveda Leyton, y tantos otros de los que aprendí que la patria es mucho más que una simple bandera.

En aquellos años felices, los jóvenes estudiantes acostumbrábamos a visitar el Congreso y la Cámara de Diputados en nuestras clases de Educación Cívica. Ahí, aprendíamos cómo funcionaba nuestra imperfecta pero ejemplar democracia, el Poder Legislativo se nos presentaba como la columna vertebral del país, y el ardor de los discursos pronunciados por los representantes de la ciudadanía les confería más vigor a nuestros sueños. También visitábamos la sección infantil de la Biblioteca, y en una de esas visitas empezó a fraguar el más imperecedero de mis sueños.

En Cartagena de Indias (2009)

Soñaba que todos esos libros encerrados querían hablar, que esperaban a un justo interlocutor, y ese era yo. Soñaba que los libros me hablaban con su lenguaje silencioso, me mostraban cada una y todas las palabras impresas en sus páginas, y exigían de mí una promesa; la de transformarme en el depositario, en el velador, en el amoroso protector de las palabras. Y yo prometía cuidar que nunca perdieran su valor intrínseco, su capacidad de nombrar todas las cosas y a partir de ese hecho hacerlas existir.

Nunca es fácil ver un sueño realizado, pero el mío, tal vez por ser tan ingenuo, tan poco épico, tan chileno, no encontró mayores escollos. Una tarde, y gracias a la influencia del cine, birlé a la bibliotecaria un manojo de llaves, y estampé las que se me antojaron más importantes en un molde de cera. Más tarde, gracias a la colaboración sin preguntas de un amigo, que trabajaba con su padre en un kiosco donde hacían llaves, a la entrada del portal Fernández Concha, tuve un juego de llaves que me abrirían las puertas de la Biblioteca.

Recuerdo, porque mi porfiada memoria de chileno no deja de recordar, que un fin de semana compré el que se me antojaba alimento de emergencia de los escritores; pan de anís y leche. Valga señalar que otros amigos, el pintor Carlos Catasse, el actor Jorge Guerra, el inolvidable «Salvaje» Hugo Araya, compartían esta extraña afición por la leche y el pan de anís, lo que permite deducir que también es alimento básico de pintores, actores y camarógrafos.

Ese fin de semana, premunido de leche y pan de anís —el mejor lo hacían en la insuperable panadería La Selecta—, esperé oculto en un patio a que el personal de la biblioteca se retirara, cerraran la puerta principal, y me dirigí hasta el amplio salón en donde se alineaban los estantes y los libros. Debo agregar que ya empezaba un destino de fumador empedernido, y al inventario de subsistencia se agregan dos paquetes de aquellos deliciosos Liberty. Una de las llaves abrió la cerradura, empujé la puerta, y entré por primera vez a la que sería y es mi única patria: mi idioma y sus palabras.

Tomaba libros al azar, leía un par de páginas, cogía otro, los conocidos me dejaban la grata impresión de topar con un viejo amigo, los que no conocía me llenaban de sed de leer. Es cierto que la aventura fue breve; apenas dos noches y dos días encerrado en la vieja casona, pero al amanecer del lunes salí con la satisfacción de haber hecho realidad un sueño, y además con un gran descubrimiento: la generosidad existía y era un atributo del género humano. Eso me lo dijeron las anotaciones hechas en las primeras páginas de algunos libros: «Este ejemplar fue donado de su biblioteca personal por el escritor y periodista Hugo Goldsack», «Este ejemplar fue donado de su biblioteca personal por la profesora y poetisa Escilda Greve», y un largo etcétera de libros entregados para el disfrute de todos.

Sueño, aún creo en mis sueños, y una forma de creer en ellos es recordar esas anotaciones. Sueño que un joven escritor se encierra en una biblioteca y encuentra un libro sorprendente, por eso, hace mucho tiempo que renuncié a la vanidad de la biblioteca personal. Me acompañan unos cuantos cientos de libros que son, en su mayoría, de amigos, o libros a los que regreso una y otra vez. Pero vacío sistemáticamente mis estanterías y entrego aquellos libros que considero que es necesario compartir a varias bibliotecas públicas. Esta es una gran manera de compartir y socializar los sueños.

Sueño, no me importa si una visión de lucro como único norte del hombre estigmatiza los sueños y a los soñadores. Me considero un soñador, he pagado un precio bastante duro por mis sueños, pero son tan bellos, tan plenos y tan intensos que volvería a pagarlo una y otra vez.

Creo que no hay sueño más hermoso que aquel con un mundo en donde el pilar fundamental de la existencia sea la fraternidad, en donde las relaciones humanas estén sustentadas en la solidaridad, un mundo en el que todos compartamos la necesidad de la justicia social y actuemos en consecuencia.

Mis sueños son irrenunciables, son tercos, porfiados, resistentes, y se anteponen al horror de la pesadilla dictatorial. La defensa de esos sueños tiene que ver con el viejo debate entre lo bello y lo atroz, entre el bien y el mal en el sentido más pleno e intenso.

Cierta vez, una amiga periodista argentina entrevistó a un miserable traficante de armas que ocupaba una cartera ministerial en la hermana nación, y en una parte de la entrevista le preguntó si creía en los sueños. El miserable contestó que no, y agregó que «ese problema» se curaba con ayuda del psicoanálisis. Ciertamente que existen individuos que temen a los sueños, a los soñadores y a la capacidad de soñar, sin embargo, la presencia de los sueños y los soñadores es inextinguible.

Hablaré de uno al que tuve la fortuna de conocer cuando yo era muy joven —se es muy joven hasta los dieciocho, luego se es simplemente joven y ese estado es mantenido por los sueños, hasta la tumba— y, como muchos, lo esperaba con expectación. Era un poeta español, republicano, rojo, llamado Marcos Ana, y venía a conocer Chile de la mano de Pablo Neruda.

Marcos Ana venía del territorio infame de la cárcel luego de cumplir veinticinco años de encierro. Apenas dejó atrás las puertas de la cárcel de Carabanchel, en Madrid, fue a casa de unos compañeros, se duchó, cambió ropas, bebió un vaso de vino, enseguida se dirigió al aeropuerto y subió al avión que lo trajo hasta Santiago de Chile.

En el aeropuerto lo esperaba Neruda, pues todo hombre o mujer de buena voluntad que llegue a Chile siempre será recibido por Neruda, por Pablo invisible, disuelto y presente en el aire, en el fuego y en el vino. En el parque Bustamante lo esperábamos unos quince mil jóvenes chilenos, quince mil inmejorables soñadores como éramos los militantes de las Juventudes Comunistas de Chile. Lo esperábamos con todo nuestro amor de jóvenes y de soñadores, con nuestras bocas endulzadas por toda la ternura que inspira la palabra Compañero.

Sabíamos quién era ese hombre frágil que, apenas salió de la cárcel, dijo que sus sueños permanecían puros y frescos como en el primer día de la República. El dictador, Franco, no los había tocado.

Franco, por si alguno de los jóvenes presentes en esta sala lo ignora, era un patán de baja estatura y menor tamaño moral. Era un miserable que no superaba el metro sesenta y tenía el coeficiente intelectual de un ratón bobo. Esa es la característica que asemeja a todos los dictadores. A ella, ¡vaya si lo sabemos!, se agrega la de ser ladrones como gatos de campo. En cierta ocasión, a finales de los años sesenta, sus soplones le informaron que los subversivos empezaban a actuar de una manera terrible en España; no ponían bombas, no organizaban huelgas, no llamaban al incendio, sino que proponían abiertamente soñar con una realidad nueva.

Aquellos subversivos tenían rostros y nombres: una mujer bellísima como solo pueden ser bellas las brujas —según la España católica y franquista— se llamaba Maria del Mar Bonet y con su voz moldeaba los sueños democráticos. Otro, un anarquista de cuidado según los pasquines del régimen, llamado Joan

Manuel Serrat, con sus versos invitaba a soñar mundos mejores y posibles, y a ellos se agregaban Lluís Llach, Paco Ibáñez y José Antonio Labordeta: «Habrá un día en que todos / al levantar la vista / veremos una tierra / llamada Libertad...».

Los dictadores suelen tener siempre un testaferro alfabetizado, un plumífero que, desde una hipotética posición más allá del bien y del mal, hace de «intelectual orgánico» al servicio del sátrapa, ya sea con su voz, o con su silencio. Franco tuvo más de un par, y uno de ellos, olvidado ahora en las cloacas de la historia, redactó un manifiesto condenatorio de los sueños, porque estos, dijo/escribió en la prensa del régi-

Marcos Ana en Gijón (2009)

83

men, eran una actitud propia nada más que de los judíos, los comunistas y los masones. La España católica y franquista no soñaba, y el plumífero cuyas palabras se conservan en una probeta, en formol, para ser estudiadas por los bacteriólogos cuando les falten residuos fecales, concluyó su manifiesto de la siguiente manera: «Los sueños nunca se cumplen, a lo más se pudren en las cabezas de los soñadores».

Marcos Ana, desde la cárcel, respondió:

Será que mis sueños asustan al tirano
como un lejano canto
como enterradas campanas
como todas las voces que no entiende.

Será que mis sueños
de hombre y de poeta
se han cubierto del hierro
que me encierra la vida
y ahora sueño con espadas alegres.

Será, me pregunto,
que todavía no entienden
que encarcelaron al hombre
porque no fueron capaces
del asalto exitoso
al fuerte de sus sueños
que le hace soñar con mayor fuerza.

Los versos de Marcos Ana prevalecieron, permanecieron en los recuerdos, en la porfiada memoria que hizo posible la recuperación de la normalidad democrática en España.

También nosotros compartimos un hermoso sueño colectivo que empezó en los albores de la historia chilena como nación, como país, y que tuvo su expresión más alta durante los mil días del Gobierno Popular liderado por el compañero presidente Salvador Allende. La trágica y criminal interrupción de aquel sueño compartido no lo deslegitimó, y mucho menos hizo caer en el olvido, también prevaleció en la porfiada memoria, en la memoria rebelde de los resistentes, de todas y todos los que continuaron con el más noble de los empeños, y se lo jugaron todo para que no desapareciera tragado por las tinieblas de la dictadura. Gracias a ellos es que hoy estamos aquí, en la Biblioteca Nacional, y en honor a ellos es que decimos que nuestros sueños, que son el ejercicio del deber ineludible de soñar, siguen vivos, fuertes e invictos.

Tengo mucho mundo, mucho camino bajo los pies, y en todos los lugares en los que he estado, o bien he encontrado las huellas de otros soñadores como nosotros, o me he topado con mujeres y hombres que son como la prolongación misma de nuestros sueños, porque nosotros también soñamos los de ellos. Sí, qué duda puede caber: los sueños justos son la máxima expresión del internacionalismo, del afán por hacer global, planetaria, esa justicia social que es la médula de todos los sueños.

Puedo citar a tantos, pero me detendré especialmente en un hombre que hoy es un venerable anciano. Se llama Avrom Sutzkever, se llama poeta Avrom Sutzkever, y desde su casa en Israel continúa soñando con ese mundo posible de los justos.

Nació y vivió una parte de su vida en Vilna, la capital de Lituania, uno de los Estados que se alzan frente al mar Báltico. Antes de la Segunda Guerra Mundial Vilna era una ciudad vital y acogedora, compartía con París y Berlín una suerte de capitalidad europea del arte y la cultura. Einstein solía dar conferencias en Vilna, Freud dio a conocer sus primeras teorías psicoanalíticas en Vilna, Eisenstein habló de cine en Vilna, Kokoschka colgó en Vilna sus primeras exposiciones. Era una ciudad en donde la vida era posible, hasta que llegó la larga noche de la ocupación nazi, y la bestia parda eliminó esa vida esplendorosa de saber.

Los judíos fueron declarados subhombres, malditos, apestados, conducidos primero a un gueto y luego, de ahí, a los campos de exterminio. Algunos se rebelaron, Avrom Sutzkever entre ellos, pero fueron derrotados y conducidos al paredón.

Tal como años más tarde lo veríamos en Chile, antes de ser fusilados tuvieron que cavar sus propias tumbas, y cuando estaba en ello, la pala de Avrom

Sutzkever partió en dos un gusano de lluvia. Perplejo, comprobó que las dos partes seguían moviéndose, que aquel golpe mortal de la pala, lejos de borrar la vida del gusanillo, la duplicaba. Otros dos golpes de pala partieron en cuatro al gusanillo, y siguió moviéndose.

Entonces, el poeta resistente Avrom Sutzkever entendió que si aquella vida tan frágil, tan permeable, insistía en vivir, era porque su naturaleza le indicaba que, así lo partieran en infinitas partes, la vida seguía siendo posible, y decidió que sobreviviría.

Cuando el oficial de las SS dio la orden de fuego, saltó a la tumba. Una bala lo alcanzó, pero no de manera mortal. Herido, sintió como lo cubrían de tierra, y respiró apenas, economizando el poco aire que encerraba entre su cuerpo y el fondo de la fosa, así esperó, hasta que la sed de vivir le indicó que era la hora de resucitar, como Lázaro.

Avrom Sutzkever fue comandante de los partisanos judíos, de los «maquis» del Báltico. Dio mil combates contra los nazis, sus fuerzas, sus guerrilleros atacaban y se retiraban a los bosques. Muy pronto se transformó en una leyenda, y así un día un avión ruso aterrizó tras las líneas alemanas con la misión de transportar al poeta comandante Avrom Sutzkever a Moscú. Allá, a salvo, fue recibido y homenajeado por grandes escritores de la talla de Iliá Ehrenburg o Borís Pasternak, e incluso intentaron concederle el premio Stalin, que se negó a aceptar pues consideró que su condición de luchador era consustancial a su condición de soñador y de poeta. Insistió en que su forma de actuar era «lo normal» en tales circunstancias, y que lo normal no precisaba de reconocimientos especiales.

A los pocos días de estar en Moscú pidió que lo regresaran a su lugar de combate, en la primera línea, entre los que combatían al fascismo en defensa de los sueños más puros de la humanidad. Naturalmente que fue incomprendido. Iliá Ehrenburg, desde la retaguardia, escribió una lamentable diatriba contra Avrom Sutzkever y en ella lo calificaba de «soñador demente», y lo acusaba de rechazar los honores, la posibilidad de contribuir como intelectual antifascista, y de preferir en cambio la aventura.

Cuando conocí este detalle de su historia, entonces supe que o los sueños van acompañados de una gran audacia, o dejan de ser sueños.

Si no somos audaces, y eso no es sinónimo de irresponsabilidad, si no somos terriblemente audaces con nuestros sueños y no creemos en ellos hasta hacerlos realidad, entonces nuestros sueños se marchitan, mueren, y con ellos nosotros.

A lo largo y ancho del mundo me he encontrado con magníficos soñadores, con hombres y mujeres que creen porfiadamente en sus sueños. Los mantienen, los cultivan, los comparten, los multiplican. Yo, humildemente, a mi manera también he hecho lo mismo.

Avrom Sutzkever, en Tel-Aviv (1982)

Primero soy ciudadano y hombre libre, después soy escritor. Creo que se es hombre antes que artista o escritor, creo que se es responsable antes que célebre, creo que se es justo antes que famoso, pues en caso contrario el arte, la celebridad y la fama no son más que excusas para no cumplir con los deberes de hombre y de ciudadano.

Cada vez que vengo a Chile me es difícil hablar de mis viejos sueños invictos, mas por fortuna acude en mi auxilio el escritor, el contador de historias aferrado a una memoria que amo. Hace un par de días visité un colegio en el sur de Santiago, en la comuna de San Miguel, en mi comuna, para mantener un diálogo con los estudiantes. Una bella muchacha de dieciséis o diecisiete años, de verdad muy bella tal vez porque su belleza era el reflejo de sus sueños, me dijo: «Cuéntame cómo era un viaje desde tu casa a tu escuela, cuando tenías mi edad». Entonces me valí de un sueño real y recurrente.

En mi sueño, salgo de mi casa una mañana de lluvia, porque me gustan los días de lluvia en Santiago, porque los días de lluvia obligan a que la ciudad recupere una intimidad perdida. Las gentes se acercan, se tocan, permiten compartir la intimidad de un paraguas, la complicidad de un café o un vinito en algún boliche al que se entra con la disculpa de capear la lluvia. Los días de lluvia incluso obligan a hablar, a decir nimiedades tales como «está lloviendo», a nombrar colectivamente la lluvia, con bronca el que tiene los zapatos rotos, con indiferencia el que posee un buen impermeable, con asombro el que viene del norte y aún carga el desierto en la mirada, con desdén el que viene de muy al sur, de allá donde de verdad llueve. En todo caso, a fuerza de nombrarla, la lluvia existe, la misma palabra se transforma en algo húmedo y en la mágica evocación de las sopaipillas, esa especialidad tan chilena que se inventó para los días de lluvia.

Así, en mi sueño, bajo la lluvia llego hasta una esquina segura, muy segura, porque en ese lugar se detienen unos vehículos enormes que se ven como lentos cetáceos grises.

Se detienen únicamente en esa esquina que es parte de mi rutina de estudiante, de mi seguridad de estudiante. A un costado tienen pintada una leyenda que reza: Transportes Colectivos del Estado. Era una empresa estatal que funcionaba regularmente, el chofer de aquel bus era un hombre simpático a su manera, nos hacía la vida imposible exigiéndonos el «carnet escolar» que daba derecho —porque incluso los más jóvenes teníamos derechos conquistados— a tarifa rebajada de estudiantes. Aquel chofer conducía con cuidado y nos otorgaba una sensación de seguridad. El bus se movía con pereza por las calles de Santiago, y aquel chofer estaba protegido por una pegatina que mostraba alguna imagen sagrada, y la leyenda «Dios es mi copiloto». Además, aquel chofer tenía la protección de un contrato de trabajo, la seguridad de vacaciones pagadas, de jubilación, y de todos los derechos conquistados por esa sociedad chilena de la que era integrante.

Ese chofer no tenía que correr como un psicópata pescando pasajeros para ganar el pan, según los boletos cortados. Estaba protegido por los sueños de otros hombres que con su esfuerzo hicieron posible la consecución de otros sueños tales como el contrato social, el contrato de trabajo, la libertad de asociación sindical, la posibilidad de participar y decidir acerca del funcionamiento de la sociedad.

Subía al bus de la ETC, obedeciendo la confusa instrucción de «córranse por el pasillo» o «avancen para atrás», llegaba al fondo del vehículo, hasta el lugar en donde un poderoso motor Mitsubishi ronroneaba y entregaba un calorcito único e irrepetible. Tal vez ahí conocía a una chica, y tomados de la mano nos maravillábamos de Santiago bajo la lluvia, de nuestra ciudad perdida en el sur del mundo, o tal vez nos adormecíamos arrullados por el rumor del motor y el ruido de la lluvia.

Cuando llegábamos a las cercanías de nuestro colegio jalábamos de ese extraño mecanismo compuesto por una campanilla de bicicleta y una larga lienza que recorría el bus, y que se llamaba timbre. Entonces el vehículo se detenía en un lugar determinado, siempre en el mismo lugar, en ese paradero que confería a la ciudad razón geográfica, sello de identidad, afán de organización, sentido del orden ciudadano.

Así, íbamos a la escuela con la seguridad de que, al regreso, la ciudad nos respondería con la misma serena eficacia, de forma invariable tomaríamos el bus de la ETC que no faltaría a la cita, pues ese servicio era pagado por nuestros padres, por todos, y por un Estado que confiaba en nosotros, los jóvenes soñadores de entonces, entendía que su deber era protegernos para que continuáramos soñando y para que esos sueños se hicieran realidad.

Ese viaje que conté a una estudiante de San Miguel, ella no puede contarlo de la misma manera, porque su experiencia con el transporte público es, como le ocurre a la mayoría de los santiaguinos, una constante pesadilla: debe viajar en vehículos administrados por criminales del empresariado que nació con la dictadura, en vehículos en pésimo estado, y su vida depende de la voluntad demencial de los que juegan con sus vidas y con las de todos en nombre de la libertad de mercado.

A veces, en Europa, sueño con Chile. Y en mis sueños el amado país que ya no existe, sino protegido por las fronteras de mi memoria, es un país amable, ordenado, fraterno, seguro y con sus sueños invictos.

Pero la naturaleza de mis sueños es porfiada, y de esa terca porfía se encargan muchas chilenas y chilenos a los que veo cada vez que vengo a Chile. Hace unas semanas estaba en el sur profundo y austral, en la Patagonia, que es un territorio al que estoy unido de una manera pasional y amorosa, muy fuerte. Soy incapaz de explicar por qué me gusta tanto la Patagonia, a ambos lados de la frontera, solo sé que me gusta y me siento bien, vivo y soñador cada vez que piso al sur del paralelo 42°. En esta ocasión estuve con un grupo de pescadores artesanales, gentes de vidas durísimas y siempre a merced de las transnacionales que expolian el mar chileno, siempre despreciados y abandonados por los gobiernos, sean dictatoriales o democráticos recuperados.

Página siguiente: En la Plaza Roja de Moscú (2005)

Hicimos recuerdos de un hombre, de un hombre muy especial, y ese hombre fue mi compadre. Es fundamental tener un compadre o muchos compadres en la vida. Ahora, en esta ocasión me acompaña Víctor Hugo de la Fuente, que también es mi compadre.

Mi otro compadre, el pescador, el patagón, era un tipo de pocas palabras. Nos conocimos hace muchos años unidos por la militancia. Nos presentamos, nos dimos un apretón de manos, cruzamos dos o tres palabras, nos gustamos, nos empezamos a querer, y así, a la segunda botella de vino hablando del mar, me dijo: «Tengo un crío que va a ser bautizado, ¿te gustaría ser su padrino?». Respondí que sí, y entonces la vida me dio un compadre, una comadre y un ahijado. Amplió mi universo familiar y de afectos.

Empecé a ser parte de una familia austral que se sustentaba en la sociabilidad, y lo que más nos unía eran nuestros sueños compartidos. Soñábamos con un país en el que la universidad estuviera abierta a todos, que la enseñanza no fuera un privilegio, y ese sueño estuvimos a punto de conseguirlo en 1970. Soñábamos con una mar que nunca se extinguiera, que la riqueza pesquera llegase a todas las mesas, que los hombres del mar pudieran decir con orgullo «soy pescador».

Mi compadre. Como he indicado, era un hombre de pocas palabras. Nunca conseguí sacarle frases de más de tres palabras, y sin embargo hablábamos días enteros, a veces con palabras y otras veces con silencios.

Una o dos veces al año iba a Chonchi para verlos. Mi comadre siempre me recibía con efusividad, me abrazaba y a continuación me mostraba los tarros en los que crecían los cardenales, esas hermosas orquídeas de los pobres y que ella cuidaba con mano de santa. En eso aparecía mi compadre, me observaba largos minutos, y con un tono de voz que no delataba la emoción que le hacía brillar los ojos, preguntaba: «¿Qué querís comer?».

«Tú sabes», era mi única respuesta.

Entonces mi compadre se enfundaba unos cuantos chalecos tejidos con lana chilota, sobre ellos el traje de buzo mil veces remendado, atornillaba la escafandra, y bajaba hasta el fondo del mar. Un ayudante o «secretario» desde el bote le daba aire al ritmo de un avemaría, y al poco tiempo mi compadre emergía, chorreando agua y algas, bañado de fulgores y naufragios, con algún sabroso portento del mar que alegraba su mesa, que honraba su mesa, y festejábamos envueltos por la incomparable fraternidad de las gentes del sur, de la amorosa hospitalidad de los pobres del sur.

Cuando volví del exilio, en 1989, lo primero que hice fue viajar al sur, para ver a mi compadre, a mi comadre, a mi ahijado. No nos vimos durante los dieciséis años de mi exilio. Le escribí muchas cartas, y siempre fue mi comadre la encargada de responder. Me contaba, sin quejarse, de cómo iba la vida, de cómo iba de mal la vida durante la dictadura. Por necesidad, se habían visto obligados a vender su casa de Chonchi y emigraron más al sur, a Puerto Chacabuco, empujados por la voracidad de las grandes pesqueras que se adueñaron del mar chileno. En varias cartas me habló de sus cardenales, intensamente rojos y multiplicados en su sueño de belleza. En otras me describió la violenta belleza de los fiordos, con un lenguaje muy económico, muy simple, muy alejado de cualquier rimbombancia, pero de una carga poética asombrosa. Y cuando ella escribía la palabra Fiordo con mayúscula, yo, en Europa, sentía que me hablaba de una fuerza mayor y esperanzadora, de un sueño latente y a salvo en la inmensidad austral.

Dieciséis años le habían marcado el rostro de arrugas, su cabellera ya no era negra como antaño, pero sonreía con la misma dulzura de siempre mientras me ofrecía un mate y me hablaba de sus cardenales. En eso llegó mi compadre, serio y parco de palabras, como siempre. Se detuvo a un metro de distancia, cortó mis deseos de abrazarlo con un gesto, me observó, me estudió durante un largo rato, y finalmente exclamó: «¿Qué querís comer?».

«Tú sabes», respondí, abrazado a mi comadre.

Se metió en el traje de buzo, atornilló la escafandra de bronce y bajó al fondo del mar. Esta vez era mi ahijado, todo un hombre, todo un pescador, quien le daba aire accionando la bomba al ritmo del avemaría. Y como siempre, mi compadre emergió bañado de destellos y con un palpitante tesoro del mar que llevamos hasta la dignidad de su mesa.

Luego de comer, hablamos, descubrimos que compartíamos algo más y que se llamaba inventario de pérdidas. Nos abrazamos, lloramos al nombrar a todos los nuestros que ya no estaban, a los que nos faltarán siempre, a nuestros amados hermanos de sueños que dieron la vida por la envergadura de sus sueños. Lloramos por todas y por todos los que están enterrados en lugares que solo sus asesinos conocen, o que fueron lanzados, vivos y atados al fondo del mar.

Pero luego del llanto y tras beber un buen vaso de pipeño, empezamos a hablar de nuestros sueños, y descubrimos que seguían siendo los mismos, fuertes, irreverentes, indomables, implacables, tercos, necesarios, indestructibles.

Todo esto y mucho más me ha rearmado en esta condición de soñador. Sigo, pues, siendo un soñador, y mi literatura no puede ser vista o comprendida sino desde ese punto de vista.

Mis historias las escribe un hombre que sueña con un mundo mejor, más justo, más limpio y generoso. Mis historias las escribe un chileno que sueña con que este país cumpla con el más hermoso de los sueños: el de sentarnos todos a la misma mesa con confianza,

Página siguiente: Ante el Palacio de La Moneda, Santiago de Chile (2015)

y sin la vergüenza de saber que los asesinos de los que nos faltan no reciben el justo castigo.

Y ese sueño se materializará el día que sepamos dónde están los que nos faltan, porque al saberlo nuestra memoria no tendrá abiertas las heridas de la incertidumbre, el bálsamo de la justicia se encargará de cerrarlas y podremos seguir soñando, porque solo soñando y siendo fieles a los sueños es que conseguiremos ser mejores, y si somos mejores el mundo será mejor.

Desde mi modesta condición de escritor y soñador puedo asegurar que una iniciativa como la que nos reúne, saludar la existencia de una editorial que se llama Aún Creemos en los Sueños, es una magnífica oportunidad para reivindicar la justicia de lo que soñamos y queremos: soñamos que otro mundo es posible, y haremos realidad ese otro mundo posible.

Es bello y enaltecedor que nos convoque una editorial, un colectivo humano que hace libros, porque la palabra escrita es la gran depositaria de los sueños.

Intervención en el lanzamiento
de la Editorial Aún Creemos en los Sueños,
Biblioteca Nacional de Santiago de Chile,
16 de abril de 2002

La primera vez que grité: «¡Acción!»

El 11 de marzo me fui a la cama muy temprano, y antes de cerrar los ojos consulté el boletín meteorológico del día siguiente. Todo auguraba sol, mucho sol en el norte argentino, y era precisamente sol lo que necesitábamos para empezar a filmar *Nowhere;* pero a las cuatro, todavía de noche, desperté sobresaltado por el rugir de un relámpago y de inmediato empezó a llover torrencialmente sobre la ciudad de Salta.

A las seis de la mañana, con las primeras luces, seguía lloviendo y, mientras vivíamos el primer café del día, hicimos una reunión de urgencia con Beppe, director de fotografía; Roberta, camarógrafa; Aitor, sonidista; Diego y Martín, mis ayudantes de dirección, y Roberto, el productor ejecutivo. Hablando el idioma franco que empleamos en toda la película, mezcla de italiano, español e inglés, decidimos que pese a la lluvia, que no daba muestras de parar, empezaríamos a filmar a la hora acordada, solo que con un ligero cambio; filmaríamos interiores de un tren en marcha, ¡y qué tren!

El viejo Tren de las Nubes trepa lentamente hasta los casi cuatro mil metros de altura impulsado por dos locomotoras diésel. En algunos tramos las subidas son tan empinadas que los ingenieros que construyeron el ferrocarril destinado a unir Argentina y Chile trazaron unos curiosos zigzags en las laderas de las montañas, lo que permite al tren recular, tomar impulso y seguir el rumbo.

Nosotros teníamos una sola locomotora, un antiguo vagón de pasajeros con reminiscencias de Orient Express que nos servía de camerino, sala de maquillaje, vestuario, cafetería, bodega de materiales, y otros dos vagones de carga que Coca y Cristina, las directoras de arte, habían transformado en celdas rodantes.

A las siete de la mañana, más que llover, caía un verdadero diluvio sobre la estación de Campo Quijano, el último pueblo al pie de los empinados Andes. «¿Este es el clima del desierto?», preguntó el actor cubano Jorge Perugorría. Daniel Fanego, argentino, le respondió que esa lluvia era un regalo de los dioses andinos, palabras a las que el resto del equipo contesto con espontáneos y amables insultos.

Leo Sbaraglia, también argentino, empezó a repartir unos impermeables de hule amarillos que nos transformaron en un ejército de duendes, mientras mi her-

Durante el rodaje de *Nowhere,* en Salta (2001), igual que las siguientes tres fotografías

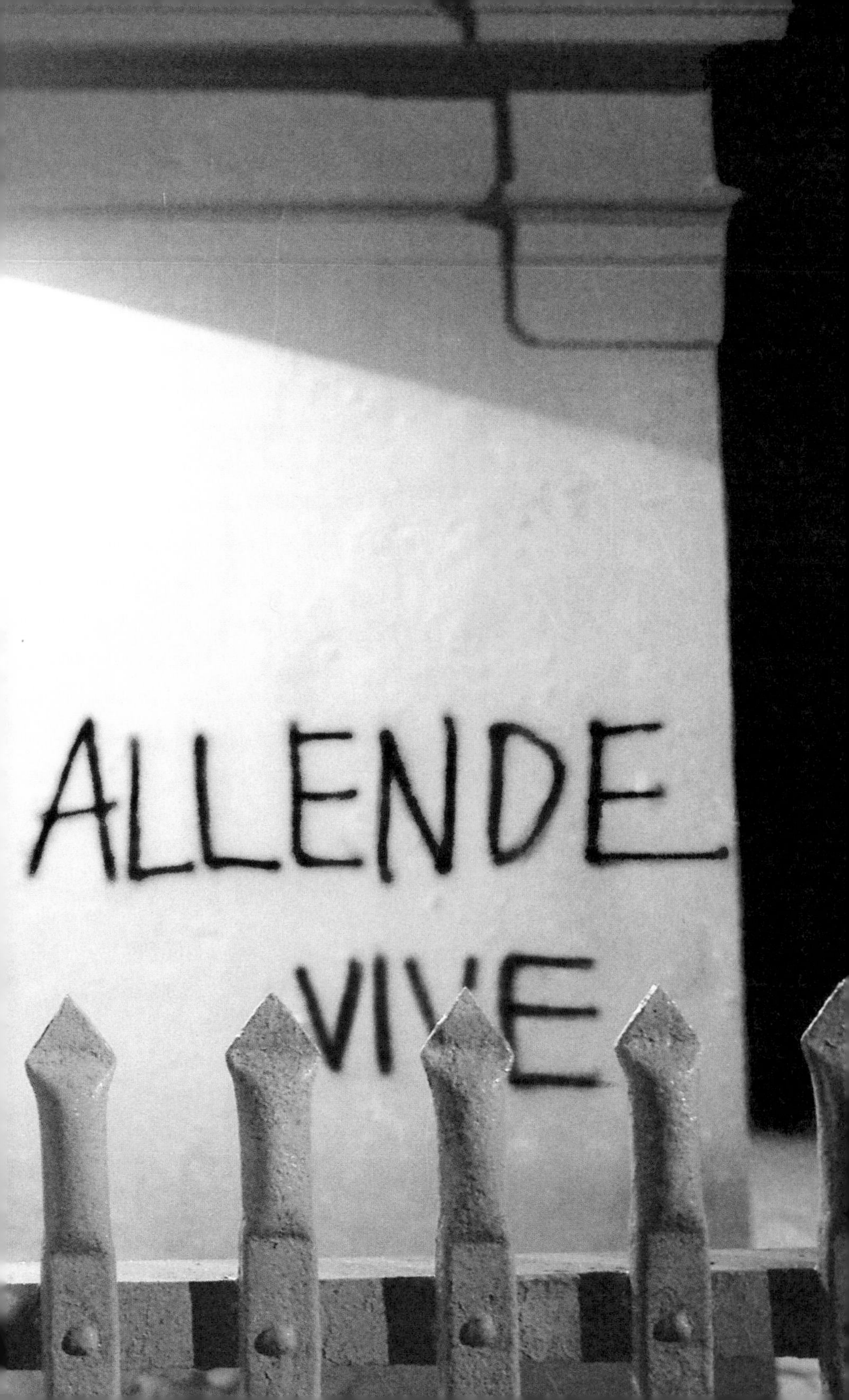
ALLENDE
VIVE

mano Carlos cuidaba de que la lluvia no despintara los rostros de sus «comandos», todos actores de teatro y estudiantes de Salta, que en dos semanas de instrucción transformó en terribles guerreros.

Andrea Prodan, italiano, anunció que Marcelino, el hombre más popular de la filmación, jefe de electricistas, iluminador, mano derecha del director de fotografía y amante pasional del cine, había preparado su insuperable café para todos. Así que en el andén de la estación el café nos calentó el cuerpo, las arias cantadas por Luigi Burruano nos calentaron el alma, y mantuvimos el buen humor alentados por las insuperables historias narradas por Martín Seefeld, Antonio Ugo, Ariel Casas y Óscar Castro.

Llovía sin pausas, Daniel, el foto fija, llevaba varios cientos de fotos hechas cuando recibimos la orden de partir, pero antes de poner el tren en marcha recibí una botella de champán francés que debía servir para iniciar oficialmente el rodaje de *Nowhere.* Luigi Burruano se apresuró a repartir vasitos de plástico y yo descorché lentamente la botella. Entonces, algo inexplicable me recordó que yo era de ahí, que estaba por empezar a rodar una película —mi primera película— latinoamericana en suelo latinoamericano, así que vacié la botella sobre la tierra ofrendándola a la Pachamama, la madre tierra de los indios andinos. Creo que Luigi Burruano jamás me lo perdonó, pero el sacrificio tuvo su recompensa porque a los pocos minutos las nubes se abrieron y empezó a brillar el intenso, ensordecedor, sol andino. La Pachamama se ponía de nuestra parte.

El tren empezó a ascender, cruzó puentes de vértigo, llanos en los que crecen cactus de tres metros, quebradas y arroyos que pasaban sobre las vías. En el interior se terminaban de poner filtros a los focos. Los actores se transformaron en sufridos prisioneros con las manos atadas y los ojos vendados. Sí, eran los personajes tal como los había visto en las largas y solitarias noches de escritura. Ellos creaban la atmósfera de inseguridad y temor de la que habíamos hablado en los ensayos. Dejaban de ser mis amigos y eran una parte

de mi propia historia, de la historia de tantos. El reino del horror se instaló en el vagón cárcel.

Beppe Lanci realizó la última medición con el fotómetro y me hizo una señal de asentimiento. Fina, mi script y consejera en las horas más duras, me dio un golpecito en un brazo.

Había llegado el momento. Miré a Lucas, el técnico de video, y dije: «Video». «Grabando», respondió Lucas. Miré a Aitor, el sonidista, y dije: «Sonido». «Grabando», respondió Aitor. Miré a Roberta, mi bellísima camarógrafa, y dije: «Cámara». Ella, sin despegar el ojo de la cámara, me hizo una seña levantando el dedo pulgar y musitó el *«buona»* que me acompañaría durante ocho semanas. Entonces, un torbellino de fotogramas, tal vez a la velocidad de la luz, cruzó mi mente. Apuntaban hacia algo en lo que creo y se llama responsabilidad ética del artista, y juré que contaría una buena historia. Luego dije: «¡Acción!». Y empezó la magia del cine.

Más tarde, a la *troupe* se unieron Harvey Keitel, Ángela Molina, Manuel Bandera, mi hijo León Sepúlveda, Caterina Murino, Patricio Contreras, y así tomó forma definitiva *Nowhere*, la primera película de un hombre al que le gusta contar historias.

Gijón, 2002

Con Carmen Yáñez, en Gijón (2002)

El asado es asunto del viejo

Tengo seis hijos, cinco chicos y una chica, todos adultos, me han hecho abuelo cinco veces y, cuando consigo reunir a toda la parentela en torno a la mesa, me gusta que me llamen «viejo».

—¿Qué vino abro, viejo? —suele preguntar el mayor, Carlos, que nació en Chile y junto a su madre, recuperada del infierno de Villa Grimaldi, salió a la no-patria del exilio. Tenía apenas ocho años, el recuerdo de un padre en la cárcel primero, y más tarde en países de nombres extraños, un atado de cartas y una figurita protectora del capitán Han Solo.

Yo no estaba junto a él cuando a su madre la sacaron a golpes de la casa, con una capucha negra cubriéndole la cabeza, y tampoco lo llevé de la mano hasta el avión de siglas escandinavas que lo alejó para siempre de Chile. Pero nunca me cobró esa falta, y cuando hace nueve años puso en mis brazos el pequeño cuerpo de Daniel, mi primer nieto, con su «te quiero, viejo» me dijo que todo estaba en orden entre nosotros.

—Abre el mejor vino, Carlitos —le respondo.

Mientras el resto de los hijos, nietos, nietas, nueras y yerno se afanan poniendo la mesa o preparando las ensaladas y los postres, yo sonrío desde la parrilla, porque el asado es asunto del «viejo», y me enternece saber que vienen de lejos; unos desde Suecia, otros de Alemania, la hija de Ecuador. Me divierten sus consultas culinarias en sueco y español, en alemán y español, en inglés y español, y el humo de las grasitas cayendo sobre las brasas me huele al mejor cosmopolitismo, a la mejor manera de ser, y entonces pienso en mi viejo, en cuánto le habría gustado estar aquí.

De pronto sé que mi viejo está ahí, conmigo, porque pegado a él aprendí la alquimia del asado en el patio luminoso y lejano de una casa de Santiago que ya no existe más que en mi memoria.

Me gustaba verlo encender el fuego, los dos en el patio y con la radio encendida, escuchando la trasmisión directa desde el hipódromo Chile. Muchas veces me pregunto si he sido un buen padre, y la respuesta es que no lo sé. Supongo que mi viejo se habrá hecho también la misma pregunta, y yo sí sé que fue un buen padre, a su manera, aunque para muchos de la familia era la peor manera. No recuerdo de él ni un solo arranque de autoritarismo sino más bien lo contrario, porque era tímido y casi pedía permiso antes de soltar lo que tenía que decir.

A veces mi viejo esperaba a que mi madre, un monumento a la paciencia, mi hermano y yo termináramos el postre, y decía:

—En la puerta dejé esperando a un muchacho, un buen chico, un poco castigado, y de eso quería hablarles.

Entonces iba hasta la puerta y regresaba en compañía de un tipo de aspecto fuerte y al que le habían desparramado la cara a golpes. Lo presentaba como «El Lobo de San Pablo», un boxeador en desgracia de los muchos que frecuentaban el México Boxing Club de la calle San Pablo, y nosotros nos enterábamos de que aquel hombre representaba todas las esperanzas posibles porque tenía pasta de campeón, y mi viejo era su flamante apoderado. Tuvo varios pupilos, de categorías diferentes, ninguno fue jamás campeón. En eso me parezco a mi viejo; yo también perdí todos los combates.

—Pero subió al ring y eso es lo que importa —respondía mi viejo cuando mi madre le recordaba el último fracaso. Y así es, viejo, también subí al ring, y eso es lo único que importa.

—Viejo, ¿le pongo unas gotitas de limón a la palta? —pregunta mi hijo León, que nació en Hamburgo, y que de puro cariño a mí, a su viejo, vino a España a perfeccionar su español en la Universidad de Oviedo. Sé que me quiere y sé que le he fallado, porque le robé horas de infancia, horas sagradas en las que debimos estar juntos fabricando barriletes o haciendo

barra al F.C. Sankt Pauli en el estadio del barrio. ¿Qué diablos hacía yo entonces como corresponsal en Angola, Mozambique, Cabo Verde, El Salvador, si lo que más quería era estar con él, con su hermano gemelo Max, y con Sebastián, mis tres hijos hamburgueños?

Mi viejo también se iba a veces. Ahora sé que padecía depresiones, que todos los sueños rotos se le venían encima y entonces se aislaba del mundo en el espacio reducido que ocupaba la radio, con la cabeza inclinada igual que el perrito de la RCA Victor, escuchando sus tangos que lo llevaban al infierno de una nostalgia atroz e inútil, o las emisiones en español de Radio Nederland que tal vez lo hacían sentir protagonista de los viajes que nunca hizo.

—¿Qué te pasa, viejo? —le pregunté muchas veces, y su respuesta era una caricia al tiempo que decía:

—Nada, hijo, estoy triste, eso es todo, pero no me pasa nada.

—Huele rico —dice mi hija Paulina, y me abraza pegando su cabeza a mi pecho y yo sé que su amor se torna fuerte cuando los latidos de mi corazón me acusan, porque también le fallé y en lugar de estar donde quería, el parque de juegos de Iñaquito, fue más fuerte el deseo de subir al ring en Nicaragua.

Una vez, cuando mi hija ya era adulta, le conté que en medio de los tiroteos algunos besaban una estampi-

Con Irma, su madre, en Gijón (1999)

117

ta con la imagen de un santo, pero yo besaba una fotografía en blanco y negro que la mostraba risueña, en mis brazos, y me juraba a mí mismo que si salía vivo de ahí recuperaríamos todo el tiempo que le robé.

La peor certidumbre es aquella que nos muestra lo irremediable.

Sé que mis hijos sintieron mi ausencia a la salida de la escuela, cuando llovía y los padres de sus compañeros los esperaban con los paraguas abiertos, con el coche calentito, con un pastel en la mano. Yo sentí la ausencia de mi viejo cuando, tras anunciarlo tímidamente, se largaba siguiendo una vocación de comerciante condenado al fracaso. Durante meses no llegaban cartas y entonces sabíamos que la crianza de vacas en la Patagonia se había ido al carajo, que el corral de caballos purasangre se había incendiado, que el restaurante se lo habían robado los socios, que le habían crecido los enanos. Pero al regresar, siempre sin ningún aviso, salvo los suspiros de mi madre, contaba sus fracasos como si fueran los mejores chistes y, así, cortando rebanadas de salame exclamaba:

—Y pensar que este pingo tan sabroso estaba destinado a ganar el Derby de Kentucky.

Entonces yo lo quería con furia, olvidaba su ausencia y descubría que ningún amigo del barrio tenía un viejo tan macanudo como el mío.

—¿Y si probamos una puntita? —dice mi hija, y yo corto una tirita dorada de carne que se lleva a la boca suspirando. Se acerca también mi nieta Camila, el terror de las librerías de Quito, pues no perdona que mis libros no estén en lugares destacados, y yo sé que muy pronto tendré también a mi lado a Valentina, que acaba de nacer hace dos semanas.

También mi madre, que recién falleció, se acercaba a mi viejo cuando este declaraba que ya faltaba muy poco para llevar el asado a la mesa. Yo lo miraba cortar y ofrecer a su mujer la tirita de carne, a esa mujer que se bancaba sus ausencias y los altibajos, más bajos que altos, de su pasión comercial, o sus fracasos de burrero dueño de caballos a los que daban las llaves para cerrar el hipódromo. Esa mujer era su fuerza. Lo descubrí tarde y creo que ninguno de ellos lo supo a tiempo. Mi madre era tesón, firmeza y llevaba las riendas de la casa. Mi viejo era un puñado de sueños lindos que hacían menos triste la vida.

¿He sido un buen padre, o simplemente un padre sin adjetivos? No lo sé. Y mientras Max se acerca y me dice que el computador está funcionado rápido y libre de lastres, porque Max es el genio de la familia en este rubro y tras cada visita suya todo lo electrónico queda mejor que recién comprado, pienso que por él y sus hermanos aprendí lo más difícil de la lengua alemana: la capacidad de prodigar ternura y establecer complicidades de amor. Al regresar de cada viaje a África, antes de volver a nuestra casa de Hamburgo me quedaba una noche en un hotel de Frankfurt para limpiarme, para

119

quitarme todo el olor a muerte, a corrupción, a mentira, a desmoronamiento de los mitos que siempre se pegó a la piel de los corresponsales de guerra como un tatuaje del «territorio comanche». Recién entonces me atrevía a abrir la puerta de nuestra casa, besar a mi mujer, y abrazar a mis hijos. En el hotel de Frankfurt se quedaban también el español y el portugués, y la lengua alemana era una fuente de ternura recíproca que nos mantenía a salvo, porque en la década de los ochenta solían llegar a casa algunos compañeros de rostros compungidos, y sentados en la cocina soltaban el «mataron a Roberto, lo degollaron», y mis hijos, a salvo del horror, adivinaban sin embargo mi tristeza y me pedían que les contara una nueva aventura del pirata del Elba, o del gran jefe Culo Rojo, un cacique sioux que eliminaba a sus enemigos a pedos.

Antes de retirar la carne de la parrilla se acerca Jorge con su cámara fotográfica, desde pequeño quiso ser fotógrafo y lo va consiguiendo. No soy el padre biológico de Jorge, pero sus hermanos siempre le hicieron sentir que era uno más del equipo, con iguales deberes y derechos.

—Viejo, ponte más cerca para que salga también el humo —me ordena, y yo le respondo si se cree Daniel Mordzinski o Cartier-Bresson, pero poso para él con mi mejor cara de parrillero.

Mi viejo volvía de sus idas reales o autistas, y al hacerlo, llegaba el momento de oír sus historias de horror ingenuo. Mi hermano y yo nos sentábamos junto a él y entonces empezaba a hilar cuentos que, no sé si los habrá leído en alguna parte, pero eran protagonizados por un único personaje, La Mortaja, algo así como un zombi al que siempre engañaban los mortales.

Ahora es Sebastián el que me acompaña. Con su videocámara registra los movimientos de poner brasitas en el braserito y sobre él las carnes doradas y fragantes. Siempre quiso ser camarógrafo y lo consiguió. Cuando estudiaba en la escuela de cine de Múnich acepté como una novedad que me mostrara las películas de Eisenstein o de Fritz Lang. Todos mis hijos son mis favoritos, pero con Sebastián nos une algo intangible y cuya razón está en que, tras su nacimiento, tomé un año del permiso posnatal al que también teníamos derecho los hombres en Alemania. Su madre siguió trabajando y el chico vivió pegado a mi pecho en una bolsita canguro que se ponía como una mochila, pero al revés. Cada cuatro horas salíamos rumbo a la clínica donde trabajaba su madre para que mamara, hacíamos las compras, retirábamos o devolvíamos libros a la biblioteca del barrio y, al hacerlo, recordaba el olor a tabaco de mi viejo cuando me abrazaba en las frías tardes de esos inviernos y de ese Santiago ya irremediablemente perdidos.

Página siguiente: Con sus hijos Sebastián, Jorge, Paulina, León, Max y Carlos Lenin, en Gijón (2019)

No sé si he sido un buen padre, pero sé que he disfrutado de cada segundo junto a mis hijos, aunque también sé que debí pasar mucho más tiempo junto a ellos. No sé si siempre he sido justo, pero ellos sí que lo han sido.

Mi hijo Carlos es músico. En una gira mundial con su grupo, Psycore, en el momento en que las adolescentes gritaban y lloraban porque Carlos «Kalle» Sepúlveda, el único no nacido en Suecia del grupo, entregaba los toques finales de su solo de guitarra, él de pronto se detenía, levantaba el instrumento y gritaba: «¡Esta guitarra me la dio mi viejo!». Y continuaba tocando, llenando el escenario con sus notas prolongadas y su aspecto feroz de líder del grupo de rock más heavy de Escandinavia.

Vi en MTV esa actuación de su grupo, y mientras lo hacía regresé a una tarde en Hamburgo y me vi entrando en Steinway & Sons, la mejor casa de música, y saliendo con la Fender Stratocaster que todavía suena en sus manos, aunque hayan pasado ya más de veinte años. Y fui mucho más atrás, porque vi a mi viejo saliendo de una librería de Santiago con una estilográfica «centenario» que me entregó con un simple «sé que te gusta escribir».

El amor de los hijos llega de diferentes maneras; a veces tiene la forma de fotocopia de un diploma, como el de Paulina, de recién egresada de la Facultad de Periodismo; o de un mameluco de color naranja («modelo Guantánamo», dijo Max) que destacaba entre varios mamelucos blancos en una feria del automóvil de Barcelona. En todos los mamelucos blancos se leía la palabra Siemens, pero en el naranja ponía: «Max Sepúlveda Team Chef»; o de esos bultitos frágiles que recibo tragándome las lágrimas mientras me dicen: es tu nieto Daniel, es tu nieto Gabriel, es tu nieta Camila, es tu nieta Valentina, es tu nieta Aurora.

Por fin estamos todos sentados junto a la mesa fragante, Carlos sirve vino, Sebastián lo prueba y exclama que está buenísimo, Paulina ofrece ensaladas, Jorge corta pan, Max y León reparten las carnes intentando ser ecuánimes, los nietos y nietas exigen costillitas, las nueras y el yerno les ayudan a cortar, y Pelusa, mi mujer, mi compañera que me conoce más que yo mismo, me toma una mano y dice: son tus hijos, Lucho. Son tus hijos.

De mi viejo conservo: una fotografía junto a mi madre y una cajetilla de cigarrillos Monarch que tenía en los bolsillos al morir. ¿Y el recuerdo? Sí, también, pero no me pertenece del todo porque se va diluyendo y aparece a ramalazos, de manera aleatoria, y a veces dudo y me pregunto si el viejo fue realmente así, o si son los mecanismos salvadores de la memoria, que siempre recuerdan lo mejor.

¿Cómo me ven en realidad mis hijos? En una ocasión, León me preguntó cómo era su abuelo y lo único que pude responder fue: un viejo lindo. ¿Qué responderán cuando sus hijos les pregunten cómo era yo?

Carlos, con la boca llena de jugo, exclama que el asado está mejor que nunca.

—Te quedó rico, viejo —apoya cualquiera, y Sebastián golpea su copa con el tenedor pidiendo un brindis.

—¡Por el viejo! —Y todos levantan sus copas.

Entonces le pido a la vida que permita por muchos años que el asado siga siendo asunto mío, que sea asunto del viejo convocar a los hijos y nietos a la mesa familiar.

No sé si soy, si he sido un buen padre. Pero sé del cariño de mis hijos y que he tratado de ser un amigo con el que siempre podrán contar, un compañero para todo lo que venga. Y con eso estoy en paz.

2002

En la Patagonia, tras los pasos de Butch Cassidy y Sundance Kid

Estábamos cerca de El Bolsón, una pintoresca ciudad en el límite que separa las provincias de Río Negro y el Chubut. El viento inclinaba los gigantescos álamos que bordeaban el cementerio, y su follaje formaba una inmensa cúpula protectora de la paz de los que ahí reposaban, gentes que alguna vez llegaron al sur del mundo llenos de sueños, ambiciones, esperanzas, planes, amores, odios, llenos de los materiales elementales que forjan el breve paso por la vida. Llegaron de todas partes con sus costumbres y lenguajes a cuestas, y ahí terminaron, en un cementerio olvidado, barrido por el viento, unidos en la quietud subterránea y en el idioma universal de la muerte.

Un hombre con un cigarrillo colgando de los labios ordenaba algunas flores resecas junto a una sepultura.

—Nos dijeron que aquí está enterrado Martín Sheffield.

—El Sheriff. Por ahí está ese mal bicho —comen-

tó. Era un tipo de edad indefinible, su rostro curtido por el viento y el sol podía tener cualquier edad.

—¿Sabe cuál es su tumba? —insistí.

—Lo sé, pero hay que acercarse con cuidado porque a ese bastardo lo enterraron con los dos Colts en las manos, y si está de mal humor nos recibe a tiros —respondió mientras se echaba a andar, y nosotros lo seguimos, pasando entre tumbas de polacos, italianos, gallegos, judíos, rusos, galeses y también criollos.

Martín Sheffield apareció en la Patagonia a comienzos del siglo XX. Hablaba un español chapurreado, lleno de giros mexicano-texanos, y el inventario de su patrimonio era escueto; dos espléndidos revólveres Colt que cargaba pegados a los muslos, un caballo blanco bien aperado con una silla de montar texana y una estrella de sheriff prendida en la solapa del saco. Era una especie de personaje de Marcial Lafuente Estefanía muy alejado del salvaje Oeste norteamericano

—Aquí está, y espero que muy abajo —dijo el hombre, indicando una sepultura sin ninguna inscripción.

La sepultura estaba cubierta por una capa de tierra ocre, seca y apretada, casi pétrea, y sobre ella había una margarita de plástico con los pétalos calcinados. Poca cosa para adornar la tumba de uno de los grandes mitos de la Patagonia.

Patagonia Express (1998)

En El Bolsón, Patagonia (1998)

Posiblemente murió en 1939, nadie lo sabe con exactitud, aunque se han escrito varias biografías suyas, de oídas, por algunos escritores que se atribuyen la propiedad de la historia de una región cuyas leyendas, mitos y verdades cambian según la voluntad del viento, porque en la Patagonia la historia es un género narrativo que no se molesta en asumir rigores cronológicos u objetividades graves. La historia no es más que un pretexto para adornar la oralidad y prolongar las tardes de mate junto al fogón.

Algunos dicen que lo mataron y otros que murió

de un infarto al corazón montado sobre su caballo blanco, buscando oro en los cientos de ríos que nacen de los lagos andinos. Como quiera que haya sido, unos arrieros lo encontraron cuando llevaba muerto varias semanas.

Los cóndores y los chimangos se dieron un gran festín con aquel tipo de un metro ochenta y cinco y más de cien kilos de peso. Le destrozaron la gruesa ropa invernal para llegar hasta las vísceras, dejaron mondo el esqueleto, pero no consiguieron arrebatarle los dos revólveres que empuñaba. Así encontraron el esqueleto y supieron que se trataba de él, porque iba armado.

Aquellos arrieros, buenos sujetos como todos los hombres solitarios, taparon los restos con piedras y así permanecieron junto al arroyo Las Minas hasta que, en 1959, alguno de los doce hijos e hijas que tuvo con María Pichún, una mapuche que todavía es recordada con temor reverencial, decidió trasladar los huesos hasta el cementerio de El Bolsón.

María Pichún, según los relatos, debió de ser tan alta y fuerte como él. De otro modo no se explica la pasividad de los hombres que, al verla aparecer en las pulperías, abandonaban la mesa de juego y preferían que los naipes volaran por los aires a recibir uno de los sopapos que le propinaba a su hombre hasta dejarlo grogui. Desde una prudente distancia veían cómo lo cargaba hasta el caballo mientras rezongaba: «Que nadie toque sus cartas, me hace un hijo más y vuelve».

Cuentan que el esqueleto no resistió el viaje en «chata» —una enorme camioneta— por los desiguales caminos patagónicos y se desarmó, pero los Colt siguieron aferrados a los huesos de las manos.

Una margarita de plástico sobre su tumba y la estrella de sheriff en una vitrina del museo de San Carlos de Bariloche es todo lo que quedó de Martín Sheffield. ¿Todo? No. Dejó también una historia que divierte, divide y apasiona. Así ocurre siempre con los pícaros y los aventureros.

Algunos sostienen que nació en Baltimore y otros que vino al mundo en Tom Green, Texas. En los archivos de la agencia de detectives Pinkerton hay documentos que aseguran que pasó su juventud en el estado de Utah. Era un *cowboy* más, aunque bastante diestro con las armas, y le tocó ser testigo de primera del exterminio de la «Pandilla Salvaje», un miniejército de asaltantes de bancos y trenes integrado entre otras celebridades por Black Jack Ketchum, Harry Tracy, «PO8» Logan, un bardo que acostumbraba a escribir poemas épicos sobre sus fechorías, Flat Nose Curry y Butch Cassidy.

A finales de 1898 los hombres de la Pinkerton habían conseguido establecer la ley del más fuerte —los ganaderos y empresarios del ferrocarril— en los territorios del Oeste norteamericano, luego de capturar o eliminar a casi todos los bandidos. Pero les faltaba uno: Butch Cassidy.

En 1901 la Pinkerton recibió una noticia alarmante: Butch Cassidy había abandonado el territorio de la Unión a bordo del vapor *Soldier Prince* que navegaba rumbo a Buenos Aires. Y no viajaba solo. Le acompañaban una maestra llamada Etta Place y un hombre sin prontuario policial que se hacía llamar Sundance Kid. De inmediato, la Pinkerton dispuso que un detective les siguiera el rastro y comisionaron para ello a Frank Dimaio, un italiano que llegó a Buenos Aires, averiguó que el trío había comprado seis mil hectáreas de tierras cerca de Cholila, en la Patagonia, y cuando se aprestaba a viajar hacia el sur del mundo empezó a conocer las bondades de la capital argentina. Conoció a una bella chica hija de italianos, sintió el llamado de una vida sedentaria, y mandó al infierno a la Pinkerton estableciéndose como negociante de calzado.

Hasta 1976, en San Telmo, muy cerca de la plaza donde cada domingo se celebra el mejor mercado de antigüedades del mundo, existía Calzados Dimaio, y en el lugar de honor de la tienda colgaba la chapa de detective del fundador. En América Latina el destino siempre tuerce la voluntad de los gringos.

En el mismo año 1901, Martín Sheffield se acercó a la Pinkerton. Según algunos, fue contratado por la sede que la agencia de detectives mantenía en Houston, Texas. Según otros, fue en San Francisco, donde cumplía una breve condena por vagancia reiterada. Sea como quiera que haya sido, la recompensa de cincuenta mil dólares por la cabeza de Butch Cassidy le pareció una estupenda razón para conocer Argentina.

Llegó a Buenos Aires el 6 de febrero de 1902. En el hotel de inmigrantes del puerto, que recibió a los miles de recién llegados entre 1830 y 1960, se registró como «Martín Sheffield, sheriff de los Estados Unidos», y tal vez enseñó la estrella de plata que varios años antes había escamoteado a un sheriff de verdad pero acabado por el alcohol, en Montana. Con su peculiar español «tex-mex» ha de haber preguntado cómo diablos se iba a la Patagonia.

La cabaña de troncos que Etta Place, Butch Cassidy y Sundance Kid construyeron cerca de Cholila todavía está en pie, y la solidez de su construcción la mantendrá así por muchos años. La habita ahora una familia de apellido Sepúlveda. Una tarde de cielo revuelto mi socio y yo charlamos y mateamos con don Aladín Sepúlveda, el patrón de la casa, un vejete de mirada infantil y astuto como un zorro.

—Claro que los encontró. Vino aquí y habló con ellos. Yo no nacía aún, tengo recién ochenta y cuatro años, pero mi padre me lo contó. Debe haber ocurrido en 1902, Sheffield llegó montado en un caballo blanco, nunca tuvo caballos de otro color, y desde la tranquera gritó: «¡Butch, Sun!», y los hombres le respondieron en castellano que se llamaban don Pedro y don José. Entonces Sheffield empezó a reír, casi cae del caballo de la risa, y luego hablaron entre ellos en gringo.

Nunca sabremos de qué hablaron, pero es evidente que llegaron a un acuerdo de convivencia, pues los telegramas remitidos por Sheffield a la Agencia Pinkerton entre 1902 y 1905 tenían siempre el mismo argumento: «Argentina es un país muy grande y les sigo la pista».

En 1905, un norteamericano que viajaba bajo el nombre de Andrew Duffy llegó hasta la cabaña de Cholila. En realidad se llamaba Harvey Logan, uno de los socios fundadores de la Pandilla Salvaje, y dos

En Cholila, Patagonia (1998)

Página siguiente: En Punta Arenas, Patagonia (1998)

años antes había dejado la prisión de Knoxville, en Tennessee, a su manera, a tiros, y la fuga se saldó con cuatro guardianes condenados al tranquilo ocio de criar malvas. Ese mismo año, Butch Cassidy, Etta Place, Sundance Kid y el recién llegado atracaron el Banco del Sur, en Santa Cruz.

Mientras tanto, Sheffield escribía notas que jamás envió a la Pinkerton. Jo Giglian, un neozelandés y apasionado coleccionista de todo cuanto se refiere a Butch Cassidy, en su casa del archipiélago de Las Guaitecas me enseñó una libreta encuadernada en piel marrón cuya propiedad se atribuye a Martín Sheffield. En una nota fechada en octubre de 1907 se lee: «Pude dispararles cuando salían cargando el dinero de los galeses. Pude, pero no lo hice». En 1907 los muchachos y la maestra atracaron el Banco de la Nación de Villa Mercedes y el asunto se complicó porque Harvey Logan mató al gerente. En la libreta de Sheffield se lee: «Al principio no reconocí a la mujer porque iba vestida de hombre. Ese muerto nos traerá dificultades».

Nunca conoceremos los límites del acuerdo al que llegaron Butch Cassidy, Sundance Kid, Etta Place y Martín Sheffield en la cabaña de Cholila, pero es muy probable que una parte del botín de los atracos a varios bancos comprara el silencio del sheriff, porque en 1907 adquirió cinco mil hectáreas cerca de El Maitén, en el Chubut. Ha de haber sido una negociación dura e interesante. Si Harvey Logan también participó, entonces fueron cuatro contra uno, cuatro argumentos de diversos calibres contra los dos Colt 45 del cazador de recompensas.

Don Aladín Sepúlveda nos aseguró que, según su padre, el encuentro de Sheffield con los bandidos duró varios días con sus noches. Se emborracharon, gritaron, rieron, maldijeron con palabras que el criollo no comprendía, y finalmente el sheriff se alejó de ahí con su caballo blanco.

—¿Quieren saber lo que creo? —consultó don Aladín Sepúlveda.

—Claro que queremos saberlo —le respondí sacando unas astillas de la cabaña, que aún conservo.

—Sheffield les dijo que no quería muertos. Los muertos siempre complican las cosas. Uno puede ser el hombre más inofensivo del mundo, pero apenas se muere, a más de uno le complicará la vida.

Se sabe que el negocio de la banca tiene dos formas de protagonismo: como ladrón de cuello y corbata o como asaltante enmascarado. Luego de los sucesos de Villa Mercedes, Butch Cassidy, Etta Place y Sundance Kid dejaron temporalmente la actividad bancaria. Harvey Logan desapareció sin dejar huellas, Etta Place regresó clandestinamente a los Estados Unidos, donde murió de cáncer. Butch y Sundance vendieron la estancia de Cholila y se fueron más al sur, a los confines del mundo, cruzaron el estrecho de Magallanes y se metieron a la Tierra del Fuego, y allá pasaron a la leyenda como dos románticos veteranos que asaltaban bancos y pagadores para financiar revoluciones anarquistas.

Una tumba sin nombre y una margarita de plástico. Poca cosa dejó el sheriff tras su paso por la Patagonia.

—¿Vive alguien que lo haya conocido? —pregunté al hombre con el pitillo colgado de los labios.

—Queda una hija. La última hija viva de ese bribón —respondió con un tono que mezclaba la admiración con el desprecio.

Al día siguiente fuimos a conocer a la hija de Martín Sheffield. Cómodamente instalados en los asientos de madera del Viejo Expreso Patagónico, del Patagonia Express, o la Trochita según el decir cariñoso de los patagones, empezamos a descubrir la vinculación entre la construcción del ferrocarril y el sheriff.

En 1933 se empezó con el trazado de las vías que unen Ñorquinco con El Maitén, y fueron los corderos de Sheffield los que alimentaron a las cuadrillas de trabajadores. Le gustaba entretener a los hombres con su sorprendente habilidad de tirador. Era capaz de volarle el cigarrillo de los labios a un mocito desprevenido, e incluso de chamuscarle el bigote a otro, y hacer eso con una bala calibre 45 no deja de ser meritorio. Cuando el trazado ferroviario estuvo por fin terminado, Martín Sheffield obsequió seis novillos y treinta corderos para el gran asado de los festejos. Encontramos a varios viejos de El Maitén, Esquel, Leleque y Cholila que recordaban la generosidad del gringo, y ese desprecio por la fortuna, sumado a las hijas e hijos que regó por las tierras australes, terminó por arruinarlo. Por eso buscaba oro cuando murió, o lo mataron.

La Trochita avanzaba lentamente, la trocha angosta, el notorio envejecimiento de las vías y la sinuosidad de las curvas le impedían sobrepasar los cuarenta kilómetros por hora. La vetusta locomotora de vapor bufaba como un dragón cansado, y la estela de humo que dejaba a su paso era rápidamente disuelta por el viento eterno, que no permite otra presencia que la suya en el cielo austral. El vaivén invitaba a una dulce somnolencia, o a hablar en voz baja con el compañero de asiento.

—¿Sabe quién fue Martín Sheffield? —pregunté a un veterano que de inmediato me ofreció la calabaza del mate.

—¡Cómo no voy a saberlo! Fue más conocido que el hilo negro —respondió mientras aceptaba un cigarrillo.

—Cuénteme, paisano. Cuénteme.

—Era un hombre solo. Tuvo muchos amigos, muchos hijos, pero era un hombre solo. Nadie supo de dónde sacó el dinero para comprar las muchas tierras que después perdió. Dicen que vino a capturar a los bandidos gringos, pero no lo hizo. Era un gran tirador y cuando estaba borracho le gustaba hacer apuestas pesadas. Por ejemplo, apostaba a que le volaba los tacones a una dama, empuñaba un revólver y lo hacía. Si el novio o el marido reclamaba, le regalaba un par de ovejas y asunto arreglado. Llegó a tener más de cien mil ovejas cuando la lana valía su peso en oro, y sin embargo se vestía como un vagabundo. Iba de aquí para allá, siempre solo. En su caballo blanco cabalgaba de Cholila a Esquel, de Ñorquinco al Portezuelo, siempre solo. A veces se detenía en las pulperías, jugaba, perdía a raudales, cantaba con una hembra sentada en sus piernas, pero de improviso se paraba y se

En la Patagonia (1998)

alejaba a un rincón para seguir bebiendo solo. En el fondo era un hombre abandonado, pero no porque los amigos, las mujeres o los hijos lo hubieran abandonado, sino porque se abandonó solo. Un hombre solitario, extraño, pero de muy buen humor. ¿Conoce la historia del plesiosaurio?

La gran broma de Sheffield. Un día de 1922 escribió una carta al director del jardín zoológico de Buenos Aires describiéndole la existencia de un animal, vivo, cuyo hábitat estaba bajo la superficie de la Laguna Negra. La descripción que hizo era tan exacta, tan rigurosa, que a ningún científico o naturalista le cupo la menor duda de que se trataba de un plesiosaurio. Docenas de sociedades científicas de todo el mundo se disputaron el derecho a cazar al plesiosaurio. Warren Harding, presidente republicano de los Estados Unidos, amenazó con represalias si no se dejaba el porvenir del plesiosaurio en manos del Instituto Smithsoniano, la Corona británica consideró inconcebible que el plesiosaurio no fuera examinado por doctores del Museo Británico, hasta se le cantó, luego de que un compositor popularizara el tango del plesiosaurio.

Finalmente llegaron a Buenos Aires todos lo que ansiaban apropiarse del animal antediluviano, y en medio de zancadillas avanzaron en tropel hacia la Patagonia. Encontraron que el animal de la Laguna Negra era un tronco forrado de cueros de vaca. Los patagones rieron a carcajadas con la broma de Sheffield, aún lo hacen, pero ni los científicos de aquel tiempo ni el Gobierno argentino tomaron el asunto con el mismo humor.

En El Maitén dejamos el Patagonia Express y emprendimos un camino polvoriento rumbo a la casa de Juana Sheffield, la última hija del aventurero bromista. Para darnos ánimos entre la polvareda que nos secaba la garganta y nos hacía temer por la suerte de las cámaras, cantábamos a todo pulmón «el Uruguay no es un río / es un cielo azul que pasa» entre graznidos desaprobatorios de los teros, hasta que, luego de un par de horas de marcha, vimos aparecer la cabaña construida por el sheriff para su hija.

Estaba en un lugar de belleza sobrecogedora, crecían los robles, las tecas, álamos, encinas, el aire olía a la madera virgen de la Patagonia andina, a boñigas de animales sanos, a hierbas que alegraban el alma.

Doña Juana Sheffield tenía ochenta y seis años. Se veía altiva. Había mucho orgullo en esa mujer que se apoyaba en un bastón para caminar. Su rostro lleno de territorios que tal vez fueron poblados por todos los amores y todos los odios era definitivamente patagónico, porque en él estaba latente la mezcla de una madre mapuche y un padre gringo, portador a su vez de quién sabe cuántas sangres.

Me ofreció asiento frente a ella y la calabaza del mate. Con gestos coquetos alisó el delantal y comprobó la simetría de su blanca cabellera recogida en un enérgico moño. Mientras mi socio la fotografiaba, preguntó qué nos llevaba hasta ahí.

—Su padre. Háblenos de su padre.

—Martín Sheffield. El sheriff Martín Sheffield. Él construyó esta casa y muchas otras. Era un hombre. Lo quisieron y lo odiaron por eso, porque era un hombre. Nunca fue fácil ser un hombre.

—Un hombre muy dado a las bromas fuertes.

—Tonterías. Tenía buen humor, pero jamás le hizo daño a nadie. Es cierto que, a veces, cuando se emborrachaba le daba por hacer apuestas. Alguna vez apuntó mal y le voló la nariz a un gaucho, pero nunca le hizo daño a nadie.

—Hay quienes dicen que la nariz y el resto de la cabeza.

—Qué diablos, así era la vida antes. No era fácil, jamás fue fácil la vida en la Patagonia, además, en todas partes se vive y se muere. Él murió solo. Así deben morir los hombres.

—Visitamos su tumba. Está muy abandonada.

—Fue un error llevar sus huesos al cementerio. Debimos dejarlo allá, en el arroyo Las Minas, donde lo encontraron, pero los hijos y las hijas son débiles. Ya no quedan hombres como mi padre, y la mejor forma de respetarlo es no visitar el cementerio.

Antes de salir de su casa, doña Juana Sheffield nos entregó pan recién horneado y huevos cocidos para el viaje. La amorosa manera como envolvió todo en un paño contradecía la dureza de sus palabras y sus gestos. Emprendimos el regreso bajo un cielo revuelto que presagiaba tormenta, pero no nos importó, pues sabíamos que el camino es una constante sorpresa. A la media hora de marcha vimos cómo el chaparrón se dejaba caer sobre un amplio valle, más allá cruzamos bajo un imponente arco iris, y al alcanzar la carretera de Cholila nos detuvimos a contemplar a un grupo de jinetes galopando en lontananza.

Uno de ellos montaba un caballo blanco, y nos preguntamos si aquellos jinetes galopaban por la llanura de este o del otro lado de la vida, y si el del caballo blanco no llevaría por casualidad una estrella de sheriff prendida en la solapa.

Agosto, 2004

El Bolsón (1998)

Arriba: Sobrevolando el estrecho de Magallanes (1998)

Página anterior: En Tierra de Fuego (1998)

Plataforma Larsen B

Mi amigo Víctor toma los mandos de su avioneta Piper, sin palabras comprueba los instrumentos, espera el «ok» del operador de tráfico aéreo y enseguida nos elevamos sobre las aguas color acero del estrecho de Magallanes. El viento eterno que sopla desde el océano Pacífico hace que el aparato se mueva como una hoja, da bandazos, hasta que las manos hábiles del piloto consiguen recibir el viento por la cola y entonces el vuelo se torna apacible. Es el momento esperado en que mi amigo tira de la varilla que regula el flujo de combustible y, moviendo la mano derecha en un gesto que quiere abarcar todo el horizonte, exclama: «¡Mira qué lindo es esto, por favor no me traigas turistas!».

Volamos hacia el Atlántico, abajo, el estrecho de Magallanes se abre en las bahías y se cierra en las angosturas. Con el sol que se cuela entre las nubes el agua brilla para resaltar los pueblos de pescadores, las pingüineras en las que miles de aves vestidas como embajadores contemplan el horizonte, los villorrios abandonados y de historia trágica como Puerto del Hambre, las colonias de lobos marinos retozando sobre las rocas, los cientos de restos de embarcaciones víctimas de las tormentas, o las formaciones de delfines plateados que nadan veloces y en el orden más perfecto que uno pueda imaginar. Claro que es hermoso volar sobre el paso de agua que marca los confines del continente americano y de la Tierra del Fuego. Una contradictoria sensación de paz violenta conmueve al viajero, un deseo de permanencia eterna se adueña del ánimo, el deseo de exclamar: «Espero que esto no cambie jamás» se trunca en la boca, porque toda esa belleza ha estado sometida siempre al peligro, y ahora más que nunca.

El anuncio de futuras explotaciones petroleras en las aguas australes y en el mismo continente blanco de la Antártica hace que los habitantes de la Patagonia y de la Tierra del Fuego teman, y con justa razón, por el futuro de esos paisajes en los que la naturaleza testimonia la edad de nuestro planeta. Durante el año 2006 se iniciaron los trabajos para extraer petróleo en el fin del mundo, ya sea mediante plataformas marinas o perforando el suelo de hielo, y ninguna compañía petrolera, ninguna, ha realizado un estudio independiente de impacto ambiental.

«No me traigas turistas», repite Víctor mientras damos vueltas en el aire esperando la autorización para sobrevolar espacio aéreo argentino y enfilar rumbo a Ushuaia. No deja de ser razonable su queja y no es que mi amigo sea un enemigo del turismo. Pero ocurre que, hace un par de años y mientras servía de piloto a unos fotógrafos alemanes que deseaban volar sobre el glaciar Perito Moreno, en pleno mes de julio, es decir, en el invierno austral, observó que en la cima del glaciar podían verse amplios espacios de agua, de hielo derretido, que se introducían por los flancos del glaciar produciendo desprendimientos de bloques de hielo mayores de los acostumbrados.

El desprendimiento de bloques de hielo, las caídas en medio de un rugido antiguo como el planeta, eran parte de la vida natural de algo que debería llamarse Gran Parque Natural de la Patagonia, la Tierra del Fuego y la Antártica, de algo que tendría necesariamente que ser patrimonio de toda la humanidad, como también deberían serlo los grandes bosques tropicales, y que hoy están a merced de la voracidad del mercado.

—Ahora —me indica Víctor— llegan miles de turistas a mirar cómo caen cada vez más bloques de hielo, cómo los glaciares desaparecen, es decir, vienen alegremente a comprobar la muerte de estos paisajes. Amigo mío; hoy se paga para ser testigo de la muerte del mundo.

De Ushuaia nos avisan que debemos esperar antes de entrar en espacio aéreo argentino, así que decidimos regresar sobrevolando la Tierra del Fuego con rumbo a Porvenir, una pequeña ciudad que está casi frente a Punta Arenas, eternamente castigada por el viento, y entre cuyos méritos está el de haber tenido la primera sala de cine del continente sudamericano. Aún existe el edificio, y es posible visitar un pequeño pero excelente museo del cine. Mientras volamos, le pido a Víctor que me repita lo que sintió «el día del miedo».

—Fue más que miedo, no hay palabras para describirlo. Lo único que puedo decirte es que, de pronto, el mundo entero crujió como si se partiera en dos.

Ocurrió durante el verano de 2002, en el mes de diciembre, Víctor había aceptado pilotar un avión Antónov que transportaba a un grupo de aeronautas desde Punta Arenas al territorio antártico, pues deseaban cruzar el mar de Weddell hasta el Polo Sur volando en globos Montgolfier.

El equipo logístico había volado unos días antes para preparar una pista de aterrizaje en el suelo de hielo y, dada la pericia de mi amigo, capaz de aterrizar cualquier avión en un espacio mínimo, posar ahí un Antónov no se veía difícil. Y así fue, en efecto, pero apenas habían aterrizado y empezaban a bajar la carga, todos se vieron sobrecogidos de espanto por el rugido que llenó la atmósfera, por un ruido agónico de un animal de pesadillas, gigantesco, cansado, que se desplomó en el mar de Weddell. Aquel día y a unos noventa kilómetros al nordeste de la improvisada pista de aterrizaje, la plataforma de hielo Larsen B se desprendió de la península antártica, convirtiéndose en un iceberg de doce mil quinientos kilómetros cuadrados.

En los últimos cincuenta años la temperatura de la Antártica, de la Tierra del Fuego y del sur de la Patagonia ha aumentado 2,5 °C, y este aumento de la temperatura es plenamente visible en todos los glaciares. Es el fin de los glaciares.

Desde el día del desprendimiento de la Larsen B, tanto la Antártica como la Patagonia y la Tierra del Fuego están a merced de cambios cuyas consecuencias

Sobrevolando el estrecho de Magallanes (1998)

son imprevisibles. Ya no se trata solamente de los efectos del cambio climático innegable, sino también de la ejecución de proyectos energéticos que no destacan por la preocupación medioambiental.

Una empresa española planea la construcción de represas en la Patagonia, es decir, desviar, contener, alterar el curso de los ríos que nacen de los deshielos cada vez mayores. Un turismo que no considera la fragilidad de la región también es responsable del deterioro ambiental, porque aumentar cien veces en menos de diez años la navegación por las aguas que limitan el glaciar de San Rafael, para que algunos afortunados puedan ir en una zódiac a beber un whisky con un trozo de glaciar en el vaso, no es una forma responsable de promover las bellezas de la región.

La Patagonia, la Tierra del Fuego, los confines del fin del mundo, están en peligro. Una visión irracional del progreso y el desarrollo sostenido, a la que se suma un turismo irrespetuoso, hacen de estos territorios extremos lugares condenados.

—Qué diablos —dice Víctor mientras volamos sobre la Bahía Inútil—, en un futuro próximo los turistas llegarán a las cercanías del Perito Moreno y leerán: Aquí había un glaciar.

2010

Don Camilo y Peppone

El 28 de mayo de 1962 la situación se tornó dramática en mi barrio de Santiago porque nadie tenía un televisor. Algunos vecinos lo tenían encargado en tiendas de electrodomésticos, otros empezaban a desconfiar de la oferta hecha por parientes que prometieron traer uno desde Argentina, pero los muy cabrones no daban señales de vida y en dos días más empezaba el Campeonato Mundial de Fútbol que se jugaba justamente en Chile.

La televisión, ese extraño invento que no terminaba de convencer porque «pasan fotos y no se ven muy bien», como aseguraban algunos y con razón, pues los dos únicos canales, el 9 de la Universidad de Chile y el 13 de la Universidad Católica, además de los noticiarios, rellenaban las pocas horas de programación con pases de diapositivas y música de fondo. «Dicen que la gente que está en el televisor ve para fuera, pueden ver lo que una hace y cómo está vestida. Imagínese si una está recién duchada y la pillan en pampa»,

comentaban en las carnicerías y emporios las veteranas celosas de sus intimidades.

Ese año, para los chilenos ver los partidos de la Copa del Mundo era una cuestión de honor y no tanto por el hecho de ser el país sede del evento o por una excesiva confianza en nuestra selección de fútbol, sino porque nos había costado y mucho.

Casi justo dos años antes, al atardecer del sábado 21 de mayo de 1960, un terremoto de grado 7,5 en la escala Richter nos había sacado de las casas, todo el centro y sur del país pasó la noche en vela entre réplicas cada vez más fuertes y que no presagiaban nada bueno, pues los temblores continuaron durante todo el domingo, hasta que también al atardecer llegó el terremoto grande, el mayor de la historia, y gran parte de Chile se vino abajo, pues la intensidad de 9,5 grados en la escala Richter y durante diez minutos nos llevó a pensar que el país se había ido a la mierda. Y así fue. Mil quinientos muertos, un tsunami que arrasó la ciudad de Valdivia y dos millones de personas sin casa.

«Se jodió el mundial, fue un bonito sueño», nos decíamos en el barrio reparando grietas, sacando escombros, juntando ropa y comida para enviar a los damnificados del sur, pero a los pocos días un acuerdo nacional decidió que el Mundial de Fútbol se jugaría en Chile sí o sí. La consigna «Porque no tenemos

Santiago de Chile, 2018

nada lo haremos todo» prendió. Nos sentimos orgullosos de ser tercos, porfiados, duros, y a dos días del comienzo del evento la idea de no poder ver al menos el partido inaugural nos comía el alma.

En los barrios ricos se veía a obreros instalando antenas en los techos de los edificios, pero en mi barrio proletario no se alzaba ni una de esas estructuras de barras delgadas orientadas hacia un lugar preciso e invisible.

Al atardecer del día 28 de mayo, mi padre me pidió que lo acompañara a una reunión en el Club Radical. El Partido Radical era una formación política integrada mayoritariamente por masones, se definían como socialistas, laicos y democráticos, no tenían una gran representación parlamentaria, pero sí una cadena de estupendos restaurantes, los clubes radicales, que a lo largo de Chile cultivaban las delicias de la gastronomía nacional y servían además los mejores vinos.

Lo acompañé, había varios hombres en el gran salón, entre ellos destacaba la figura larga de don Servando, el cura de la parroquia, de rostro ceniciento y sotana abotonada del cuello a los pies. Me senté en un rincón, agradecí la Orange Crush que me ofrecieron, y a los pocos minutos me enteré de que había un televisor en el barrio.

—A mí me parece que lo más aconsejable es nombrar una representación que vaya y hable con las señoritas —dijo el representante del partido socialista.

—Sí, sí, señoritas —murmuró el cura.

Mi padre, representante de los comunistas del barrio, apoyó la idea, y agregó que incluso se podía acordar un pago por las molestias.

—Antes de seguir, me gustaría saber cómo se han enterado ustedes que en la casa de putas, justamente en la casa de putas, tienen televisión —preguntó el cura con voz fiera.

—Hombre, don Servando, la gente murmura —respondió el ferretero, representante de la democracia cristiana.

—Sí, sí. La gente murmura —rezongó el cura.

—Ayer instalaron la antena en el techo —indicó mi padre.

—¿Y qué hacías tú en el techo del burdel? —interrogó el cura.

Don Servando y mi padre se tenían bronca desde siempre. Cada vez que mi padre lo veía, largo como una manguera barriendo la acera de la parroquia, lo saludaba con un «¿Cómo va el negocio?», a lo que el cura respondía con una sarta de condenas que iban desde el asarse a fuego lento al hervir en una olla.

El presidente del Club Radical sirvió una ronda de vino para apaciguar el ambiente e invitó a superar las diferencias porque la cuestión era grave, y terminó invitando a los presentes a que pensaran en los niños.

—Sí, sí. En los niños —masculló don Servando.

Sin fecha

El primer pitillo

De lo único que estoy seguro es de que tenía catorce años y me había enamorado por segunda vez. El primer amor me duró poco más de unas semanas y sucumbió por desinterés futbolero de la contraparte, pero el segundo me atacó con fuerza, con todos los síntomas, insomnio, inapetencia, expresión de idiota permanente, deserción del grupo de amigos y ganas de escribir poemas. La contraparte se hacía de rogar, se dejaba querer, mimar, que le cargara el bolsón del liceo, pesado como si llevara una enciclopedia, devoraba feliz las palomitas dulces que le compraba en el cine, nunca protestó porque yo pagara las entradas ni les hizo asco a los helados de lúcuma del café Paula.

El primer avance fue que se dejara tomar de la mano en los paseos por el parque Forestal, cercanía que se rompía cuando me pedía barquillos, y yo me

En Saint-Malo (1999)

163

derretía viendo cómo, más que comerlos, los roía delicadamente para hacerlos durar.

El segundo avance, y yo estuve a punto de cantar victoria, fue dejarse pasar el brazo sobre los hombros en el cine y, mientras ella desenvolvía las calugas de Las Escocesas —no es que me importara, pero de cada diez se comía nueve—, yo acariciaba su larga melena dorada, a veces jugueteaba con su oreja izquierda y deseaba que la película durase unas cuatro horas.

A los catorce años, el beso es un problema, uno no sabe si se sopla o se chupa, no hay manuales al respecto, y las conversaciones con los amigos me aterraban por mi inexperiencia. Los consejos decían: si se deja meter la lengua estás al otro lado, o, si ella te mete la lengua, la tienes en el bote. Para ganar experiencia le pedí a una prima unos años mayor que me enseñara a besar, aceptó a cambio de un single de Leonardo Favio, me puso frente a su rostro, estiró los labios con los ojos cerrados y, cuando intenté meterle la lengua, respondió con un soplamocos que me lanzó de espaldas. Perdí el disco del cantautor argentino, hice el ridículo y no aprendí a besar.

Y los avances seguían. Del brazo izquierdo sobre los hombros pasamos al brazo derecho sobre su pecho, lo que me permitía suponer que la abrazaba en forma, acariciaba su melena, sus orejas, su rostro, con excepción de la boca siempre ocupada en comer alguna de las golosinas que le compraba antes de meternos al cine.

Y fue en la sala del cine España de Santiago, mientras ella devoraba almendras garrapiñadas y veía una película de Pili y Mili, que me atreví a decirle que me diera un beso.

Su respuesta fue entre cruel y desconcertante: dijo que los besos eran lo peor para los dientes, que las bacterias pasaban de boca en boca, que no había ni Odontine ni Colgate que ayudara, y siguió comiendo almendras.

La dejé con Pili y Mili. Salí a la calle, en un kiosco compré un paquete de Baracoas y sentado en la plaza de Armas encendí el primer pitillo de mi vida.

Ahí, fumando, entendí que la vida era compleja, que todo era complejo, hasta el amor y las bacterias.

2014

Laika

Los perros son nobles amigos que de pronto se van. Llegan a nuestras vidas con su alegría de cuatro patas y se convierten en esos compañeros con los que intimamos en la soledad de una calle, en el jardín, en el paseo por la playa. Sin palabras hablamos con ellos y nos hablan; con el puro idioma de una mirada, una caricia, un gesto, les basta para ser nuestros confidentes más fieles. Su tristeza es genuina cuando nos vamos y su alegría es sincera cuando nos ven regresar.

Hoy, y mientras escribo estas líneas, *Laika*, nuestra perra, nuestra hermosa pastor alemán, nos ha dejado para siempre, para ese siempre jamás con que decimos adiós a su tierna compañía, a su presencia que llenó parte de nuestras vidas y de las vidas de los hijos, de los nietos, de los amigos.

En Gijón (2002)

Página siguiente: Con sus perros *Zarko* y *Laika,* en Gijón (1998)

Laika vivió casi catorce años, y hoy, cuando una enfermedad terminal nos obligó a la más grande prueba de amor, a evitarle una atroz muerte decidiendo, por amor, el minuto final de su vida, estuvo con nosotros, como siempre, la mirada atenta, las orejas alerta, el gesto protector de guardiana de esta casa llena de libros, de objetos, de presencias queridas.

Laika amaba este jardín caótico, el mar cercano, los pájaros, erizos, ardillas que encuentran aquí un espacio libre de agresiones y junto a *Zarko* practicaron el vivir y dejar vivir que hizo de ellos animales ejemplares.

Llegamos a esta casa de Gijón creyendo que era el fin del exilio, el lar definitivo para los hijos, nietos y amigos que la vida nos ha dado con mucho más que generosidad. Hay que tener un perro, pensamos en voz alta, y Javier Bauluz respondió con el regalo de un maravilloso cachorro de pastor alemán, y *Zarko* fue uno más entre los nuestros. Hay que tener un gato, pensamos en voz alta, y de la protectora de animales rescatamos a *Manchas* y *Tigre,* dos gatos traviesos que se incorporaron a la alegría de la casa. *Zarko* necesita una compañera, dijimos en voz alta, y en Baviera, en un criadero de pastores alemanes, encontré a la perrita de mirada dulce que respondió al nombre de *Laika.*

Nunca consideramos mascotas a nuestros animales, eran y son parte de nosotros, y a su compañía respondimos con el amor responsable de los seres humanos dignos de tal condición. Pero la vida de nuestros pequeños compañeros es breve, y primero nos dejó *Manchas*, el gato que decidió habitar en mi escritorio, y ahora nos ha dejado *Laika*, la guardiana que siempre me acompañó hasta la puerta en el inicio de cada viaje por el mundo, y sin palabras me dijo: «Ve tranquilo, que yo cuido de tu lar».

Hace pocas horas, al decirle hasta siempre, con su mirada atenta y sus orejas alerta me dijo que entendía, y le di las gracias por casi catorce años de nobleza, de fidelidad a toda prueba, de cariño sincero expresado a saltos y carreras.

Es deber de los seres humanos evitar el dolor a los que amamos, sé que hicimos lo justo para preservar la dignidad y la belleza de *Laika*, sé que respondimos a su nobleza cargando nosotros con el dolor que le evitamos. Y sé que ya ningún regreso será igual, sin *Laika* en la puerta, sin su cálida bienvenida y el regalo de sus ladridos alegres.

Algo nuestro se va con *Laika*, pero ese algo va seguro, a salvo, protegido por su mirada atenta y sus orejas alerta.

Hasta siempre, *Laika*. Hasta siempre, guardiana de los nuestros.

2011

El manuscrito del espejo

Viví en un gueto, aunque los habitantes de la ciudad jamás llamaron así a esta parte de la ciudad. Se trata de unas cuantas calles que bajan hasta el vertedero del puerto, de casas viejas, sobrevivientes de algo tal vez peor que una guerra, aunque eso nunca se sabrá, de muros desconchados, y a sus entradas hay buzones que dejaron de recibir cartas, facturas o folletos publicitarios hace ya un largo tiempo.

En el gueto habitamos los que no deberíamos estar aquí, no haber llegado nunca, no haber nacido jamás en esos lejanos lugares que hemos perdido para siempre. En realidad, sostienen algunos, no deberíamos haber nacido en ninguna parte. Sobramos.

En la calle donde está mi refugio hay también algunas tiendas, muy pocas, mantenidas por ancianos tercos y débiles a los que ya no importa si a sus negocios no entra más que el aire y la escasa luz de los

En Gijón (1998)

días invernales. Saben que no tienen nada que vender, pues ni el dinero ni las tarjetas de crédito tienen algún valor desde que los bancos dejaron sus puertas abiertas a merced del saqueo implacable que arrasó con todo. Esos viejos simplemente esperan la llegada definitiva de los guardianes que tapiarán las vitrinas de sus negocios y casas, que irán piso por piso reventando los cristales de las ventanas antes de sellar con gruesas maderas todas las entradas y ordenarles que se larguen o atengan a peores consecuencias. Los viejos esperan y sobran.

Mi refugio está en uno de esos negocios, un minúsculo taller dedicado a la reparación y fabricación de espejos. Según mi patrón, un anciano de edad indefinible que consume los días sentado en un taburete frente a la vetusta caja registradora y desde ahí dirige mi quehacer de aprendiz, antes hubo aquí una panadería de la que no quedan más que las ruinas de un horno de ladrillos y el fantasma del último fuego apagado hace ya demasiados años. «Salía muy buen pan de ese horno», asegura mi patrón, «hogazas fragantes a buena levadura, panecillos de centeno, crujientes, con semillas de sésamo, girasol y linaza. Más tarde», dice también mi patrón, «hubo aquí un cartógrafo, un hombre sabio que conocía los límites geográficos y políticos de todos los países del mundo, la altura de las montañas, los gentilicios, y ofrecía sus mapas extendidos en el amplio mesón sobre el que, más tarde, el panadero exhibía sus panes recién horneados. Pero», asegura mi patrón, «el mundo empezó a cambiar muy rápido, se alteraron las fronteras, algunos países desaparecieron, surgieron otros, y sus mapas dejaron de ser útiles.»

Sobre el mesón del cartógrafo mi patrón ha extendido una espesa manta de felpa verde, y sobre ella corto las láminas de vidrio y dispongo las bandejas de madera para el azogado, aunque ahora no se use el azogue empleado por los artesanos del siglo pasado, pues, como indica mi patrón, en las emanaciones de mercurio se reflejaba la muerte de los fabricantes de espejos.

Llegué a su taller hace un par de semanas y, pese a que hablamos dos lenguas diferentes, el viejo entendió mi hambre y me ofreció un trabajo.

«No esperes un gran salario», me advirtió, «este oficio sucumbe como todo lo que nos rodea, y a mi negocio acude la poca gente que desea reparar antiguos espejos con manchas opacas o que quieren un espejo nuevo, pero hecho a la manera de antes. Se trata de personas que no tienen interés en verse como son sino como eran. Qué dulce mentira es la nostalgia», sentenció el viejo al pasarme las pocas monedas que me permitieron comer ese día.

Sin fecha

El aprendiz del espejo

Tal vez porque soy invisible decidí transformarme en uno o en muchos espejos. Como todos los que llegamos a esta ciudad, país, continente al que nunca debimos acercarnos, deambulo por las calles y nadie me ve. En algunas ocasiones siento el urgente deseo de excusarme, y pido perdón por no haber podido quedarme en la aldea donde nací, crecí, lloré, canté y soñé hasta que la sequía nos privó de alimentos y de fuerzas, hasta que la debilidad impidió que enterráramos a nuestros muertos en esa tierra seca y yerma. Perdón por no haber tenido otro lugar al que acudir mientras caían las bombas y aquello que llamamos vida no fue más que una bola de fuego.

Así lo dije en muchas ocasiones, pero nadie se detuvo a escuchar esas simples palabras, nadie me vio, ni a mí ni a mi sombra, hasta que el viejo fabricante de espejos me ofreció el empleo de aprendiz sin hacerme

Puerto Montt (2014)

ninguna pregunta. Supongo que me vio, no como soy ahora, sino como el reflejo de lo que quise ser.

El primer día me enseñó a conocer los elementos para la preparación del azogue. Los frascos se ordenaban en un mueble de madera con sus contenidos muy bien escritos en etiquetas a las que el tiempo había dado un tono sepia: ácido nítrico, nitrato de plata, potasa cáustica, cloruro de estaño, amoniaco concentrado, alcohol puro, agua destilada y agua de lluvia.

También ese primer día me indicó que las bandejas de madera sobre las que se aplica la capa de azogue se deben cubrir con la «mezcla de Chatterton» que lleva gutapercha, resina y alquitrán a partes iguales.

Después me detalló que la capa de azogue del espejo reparado o fabricado debía ser protegida con papel de periódicos y, finalmente, cubierta con dos capas de papel de estraza antes de ser enmarcado.

En ese momento descubrí que mis intenciones de ser también un espejo eran posibles. Al viejo artesano no le molestó que me llevara un atado de periódicos con la excusa de leer para aprender más palabras en su idioma.

Y en esas hojas de periódicos empecé a escribir lo que veía y oía en el gueto. Palabras frescas en una lengua lejana sobre otras palabras ya gastadas que serían el sostén de los reflejos de otras gentes.

Sin sospecharlo, al verse, me verían.

Sin fecha

El dolor de lo perdido

Soñé que la niebla envolvía mi cuarto, la casa, la calle, la ciudad, todo. Soñé que leía un libro ajado ya por dos generaciones de mi familia y era dichoso a medida que pasaba las páginas, mas antes de llegar al final un perro de ojos refulgentes me lo arrebató de las manos.

El perro era negro, de pelaje brillante, casi azul, y cuando me arrinconó contra la muralla, salté de la cama y corrí a la ventana para diferenciar los límites entre la pesadilla y la vida.

La niebla era real y apenas me permitía distinguir la silueta del africano que habita en la casa de enfrente. Alguien me dijo una vez que era un poeta y lo acepté sin la menor duda. Estaba desnudo, con medio cuerpo colgando sobre el alféizar y la catarata de su vómito descendía como un vegetal opaco hasta perderse entre las salpicaduras de otros vómitos en el asfalto. Estaba borracho. A pesar de sus hipos y la niebla me llegó su voz terriblemente cansada.

«*The dragon had roamed all over the land...*, *the dragon had roamed all over the land...*» repitió varias veces hasta que hizo una bola con la hoja que leía y la arrojó al vacío. Luego eructó y dejó caer la mitad de su cuerpo sobre el alféizar, pero una mujer también desnuda irrumpió en la niebla, lo abrazó por la cintura, arrastró al interior y cerró con violencia la ventana.

Ignoro los nombres de la mujer y del poeta, a la entrada del edificio donde viven no hay buzones, fueron arrancados hace tiempo y solo queda una marca en el muro, un rectángulo, una muesca para indicar que nadie debe esperar ninguna carta en esa casa.

Una vez lo ayudé a llegar hasta su piso, pues no podía caminar y el vaho de alcohol que lo envolvía amenazaba con disolver su cuerpo, o volverlo gelatina incapaz de soportar la posición vertical. Al día siguiente lo vi en la ventana, nos saludamos con un movimiento de cabeza, pero la mujer asomó a su lado y me hizo señas para que fuera hacia ellos.

Me invitaron a pasar. En su vivienda casi no había muebles, apenas una mesa, unas sillas de plástico, y de los muros colgaban ropas de colores cálidos. El poeta me indicó un lugar en la mesa, abrió una cerveza, y la mujer colocó en el centro una fuente con comida. Todo se veía apetitoso y colorido, diferentes aromas para mí desconocidos impregnaron la atmós-

En la Via Cassia, Toscana (2003)

fera y con señas me indicaron que comiera como ellos, sacando con la mano, sintiendo los sabores extraños, picantes, que sugerían comidas alegres bajo un cielo sin nubes.

Comí hasta saciarme, nos entendíamos con unas cuantas palabras en inglés, y luego de comer la mujer me enseñó un álbum de fotografías. En las fotos había más gente como ellos, sus pieles oscuras brillaban reflejando una luz intensa, los niños mostraban dientes muy blancos y los ancianos sonreían acuclillados o afirmados en largos bastones.

De pronto la mujer acarició una de las fotos, el hombre puso una mano sobre la de ella y los dos empezaron a llorar, suavemente primero, hasta que se abrazaron y el llanto fue abierto, generoso en lágrimas, acaso liberador durante una minúscula porción del tiempo infinito que el universo dispuso para ellos.

Salí de ahí en silencio, sin despedirme para no interrumpir la íntima congoja de la pareja aferrada a su único patrimonio: el dolor de lo perdido.

Sin fecha

En París (1993)

Detalles de un sueño

... ignoro por qué estoy aquí. Ocupo un lugar en un segundo piso, o en una plataforma. Junto a mí está una mujer que quiero, pero no sé quién es.

Frente a mí, iluminada por focos como en una representación teatral, tengo: una balanza de plataforma, de aquellas que se ven en los puertos fronterizos para pesar camiones.

La balanza es de madera, de maderas viejas y gruesas. Es de una belleza que me emociona, y me sorprendo al descubrir que son las durmientes, o traviesas, lo que me emociona. Le explico a la mujer —aún no sé quién es— que me acompaña que esa balanza es una de las «Traviesuras» del escultor vasco Ibarrola, y le cuento cómo, cada vez que voy a Madrid, lo primero que hago es ir hasta la estación de Chamartín a contemplar una de las piezas del vasco.

En segundo plano, considerando a la balanza como

En Saltos de Laja (2014)

Detalles de un Sueño.

... ignoro por qué estoy ahí. Ocupo un lugar en un segundo piso, o en una plataforma. Junto a mí está una mujer que quiero, pero no sé quien es.

Frente a mí, iluminada por focos como en una representación teatral, tengo una balanza de plataforma, de aquellas que se ven en los puertos fronterizos para pesar camiones.

La balanza es de madera, de maderas viejas y gruesas. Es de una belleza que me emociona, y me sorprendo al descubrir que son los durmientes, o traviesas lo que me emociona. Le explico a la mujer —aún no sé quien es— que me acompaña, que esa balanza es una de las "Travesuras del escultor vasco Ibarrola, y le cuento como cada vez que voy a Madrid lo primero que hago es ir hasta la estación Chamartín a contemplar una de las piezas del vasco.

En segundo plano, considerando a la
balanza como el primero, hay una especie
de muro alto, levantado con objetos cuadrados, cúbicos.

De inmediato descubro que son envases de azúcar en polvo. De Azúcar flor.
Y paquetes de pañales desechados, de
tampax.

De pronto la balanza empieza a
sonar y el muro a desmoronarse lentamente.

Los objetos caen en cámara lenta,
yo lamento no tener mi cámara de video
un filmar aquello.

Es un espectáculo de belleza sobrecogedora. Los envases de azúcar se abren, o
al llegar al suelo (la plataforma) o durante
la caída.

El azúcar flor forma una nube tan
espesa que casi no pueden traspasar los haces de
luz de los reflectores.

El espectáculo dura hasta que la
mujer — que sigo sin saber quién es — me

el primero, hay una especie de muro alto, levantado con objetos cuadrados, cúbicos.

De inmediato descubro que son empaques de azúcar en polvo. De azúcar flor. Y paquetes de pañales desechables, de Pampers.

De pronto la balanza empieza a vibrar y el muro a desmoronarse lentamente.

Los objetos caen a cámara lenta, y yo lamento no tener mi cámara de video para filmar aquello.

Es un espectáculo de belleza sobrecogedora. Los envases de azúcar se abren, o al llegar al suelo (la plataforma) o bien durante la caída.

El azúcar flor forma una nebulosa que casi no pueden traspasar los focos de luz de los reflectores.

El espectáculo dura hasta que la mujer —que sigo sin saber quién es— me dice que tiene miedo, que es peligroso estar ahí, y que debemos marcharnos de inmediato.

Yo la sigo de mala gana, y cuando estamos por llegar a una puerta ancha y alta, como de hangar, me vuelvo para ver por última vez el espectáculo. Pero ha desaparecido. En el lugar donde estaba la balanza de traviesas y el muro derrumbándose, no queda más que una mancha de aceite, y yo sé, sin poder explicármelo, que se trata de aceite humano.

(Comienzo de una novela inconclusa)
Apuntes n° 41, 1991

Cumpleaños

A partir de los cincuenta, los hombres nos ponemos viejos, pero ellas entran en la gran edad de los años Sin Cuenta. Con esa certeza preparo el abrazo de mañana y el beso de siempre renovado, porque mi compañera cumple uno más de esos Sin Cuenta.

Y lo celebramos en Asturias, como celebramos cada día en Estocolmo, Hamburgo, Gotemburgo, París, Santiago y esa larga lista de países y ciudades a los que nos llevó el exilio. En un poema, Carmen dice: «dejé la puerta abierta para facilitar el despojo». Y es cierto, no nos llevamos ninguna llave, pero sí el recuerdo de los nuestros y el destello de la aurora austral pegado en las retinas.

Luego la vida siguió porque tiene que seguir, porque la empujamos a fuerza de hijos y de nietos para que siguiera, a fuerza de perros y de gatos, de libros y fuego encendido para recibir a los amigos y a los compañeros.

Y porque la vida es así y así tiene que ser, nos quedamos solos en la casa grande y asturiana. Los hijos

189

debían volar porque solo vuelan los que se atreven a hacerlo sin más confianza que las fuerzas de sus alas, y la certeza del nido que siempre estará ahí, en el lugar donde lo dejaron.

Hoy miro una de las pocas fotos que salvamos, la foto de la casa que ya no está más que en la geografía de la memoria. Una foto terrible que la muestra a punto de pasar por un agujero que unía la casa nuestra con la de los uruguayos, argentinos y brasileños con los que compartíamos el sueño duro y dulce de la militancia.

Así, probamos durante más de la mitad de nuestras vidas el pan amable de todas las tierras que pisamos, pero ambos sabemos, compañera, que es el pan con sabor a Sur el que nos calma el hambre. Así, amamos todos los cielos y todos los mares, pero ambos sabemos, compañera, que son el cielo del Sur y el mar violento del Sur los que curan todas las heridas.

No tenemos patria. Somos del Sur.

Mañana habrá vino, y en esta casa asturiana un hombre del Sur con el más fiero acento del Sur, acento de fiordos y de bosques, acento de glaciares y de lagos, acento de mar abierto y de barco fantasma, acento de salitre y de araucaria, te dirá: Feliz día, Compañera.

17 de agosto de 2014

Con Carmen Yáñez (1997)

Con Carmen Yáñez, en su casa de Gijón (2018)

Un caramelo de sesenta y dos páginas

En 1939 atracó en Valparaíso un barco, el *Winnipeg*, lleno de exiliados españoles. Esos derrotados de la República fueron un tesoro de cultura, y Pablo Neruda vendió hasta la camisa para pagar ese viaje. Entre ellos iban los hermanos Arancibia, impresores.

En 1940 echaron a andar las rotativas de Arancibia Hermanos, y no hubo escritor chileno que no publicara con ellos su primer libro. Yo soy uno de ellos.

A los dieciséis años tenía una audacia enorme, la convicción de ser el Maiakovski chileno, y un atado de poemas de título tan ingenuo como pomposo: *Crepusculario de la Tristeza*.

Una mañana me atreví a visitar la imprenta y me atendió uno de los hermanos Arancibia.

—Así que eres poeta, tienes un libro y quieres publicarlo —dijo sintetizando mi presentación de casi diez minutos.

Le entregué el manuscrito, vi cómo pasaba las páginas, lo sopesaba, y tras un breve silencio agregó:

—Sale un libro de sesenta y dos páginas, tapas de cartulina a tres colores. Déjalo y regresa en dos semanas.

Su respuesta me sorprendió y quise saber cuánto iba a costarme, pero el mayor de los Arancibia me pasó un brazo sobre los hombros y me acompañó hasta la puerta.

—Del precio hablaremos cuando el libro esté listo —indicó al despedirnos.

No dormí durante esas dos semanas. Imaginaba a los hermanos Arancibia y a los obreros de la imprenta leyendo en voz alta mis poemas, emocionados hasta las lágrimas, o cagados de la risa, porque mi escasa pero intensa experiencia me indicaba que los libros de poemas solo tenían esas dos posibilidades. Así pasé esas dos semanas dramáticas hasta que, armado de valor, regresé a la imprenta.

No tenía un centavo, a la sazón ya me ganaba unos pocos pesos escribiendo guiones de radioteatro, pero pagaban a fin de mes y, si la memoria no me falla, estábamos a 16 o 17 del mes de julio de 1966. Además, a los dieciséis años mis ingresos de escritor se iban en las primeras cervezas, los primeros cigarrillos y las primeras novias. Era un primerizo absoluto.

El camino a la imprenta lo hice con lógica leninista, un paso adelante, dos pasos atrás, repitiéndome que era mejor esperar hasta fin de mes, que no tenía sentido sufrir de esa manera y, de pronto, suerte de poeta, topé con mi vieja tía Charo, una fantástica veterana que, hasta los veinte años, me metió unos billetes al bolsillo indicando «para caramelos». También lo hizo en esa ocasión, y tras darle un sentido beso, conté los billetes. Alcanzaban para un buen sándwich chileno, un chacarero o un lomito completo y un par de cervezas. Con ese capital llegué hasta Arancibia Hermanos.

Ahí estaba mi libro, mi primer libro. Sobre el escritorio del mayor de los Arancibia había dos paquetes de veinte ejemplares cada uno. La cubierta era roja, el título y mi nombre estaban impresos en negro, y más abajo, con caja menor y en blanco ponía: poesía chilena contemporánea.

Ignoro cuánto tiempo permanecí en silencio, con el libro en las manos, acariciándolo, leyendo unos versos que me resultaban hermosos y ajenos, hasta que el mayor de los Arancibia me interrumpió.

—Muy bien, hijo. ¿Cuánto dinero tienes?

Sin la menor vergüenza le confesé que muy poco, pero que a fin de mes dispondría de algo más. El mayor de los Arancibia me miró y dijo tal vez las mismas frases repetidas a cientos de escritores chilenos:

—Te alcanza para llevar dos ejemplares, más otros dos que te entrego a crédito. Tus libros están aquí, esperándote.

Salí de la imprenta con mis cuatro ejemplares. Ya no era un miserable inédito, tenía un libro publicado. Así, me fui a la radio, vendí los primeros cuatro ejemplares y volví a la imprenta para retirar más.

Tardé un año en vender esa edición de doscientos cincuenta ejemplares. Agobié a mis profesores, amigos, vendí en ferias de arte instalado tras una mesita de camping, a la salida de los bares bohemios de Santiago, movido por la máxima de los hermanos Arancibia: «Tu trabajo vale».

Lo dicho; no hay escritor chileno que no haya publicado su primer libro en Arancibia Hermanos, dos impresores llegados en el *Winnipeg*.

2010

Una duda y una certeza

A veces, motivado por amigos he hecho algunas confesiones referentes a cómo y por qué diablos decidí ser escritor o, dicho de una manera más modesta, acercarme a la literatura.

A veces envidio a los escritores y escritoras que confiesan haber vivido en compañía de vetustas y bien

En Epuyen (1998)

surtidas bibliotecas familiares. No es mi caso. Crecí en un barrio proletario de Santiago de Chile y, aunque en mi casa había algunos libros, sobre todo literatura de aventuras, Jules Verne, Emilio Salgari, Jack London, Karl May, sería de una vanidad espantosa decir que se trataba de una biblioteca.

Cuando era un niño, o un preadolescente de trece años, mi gran sueño era destacar en el fútbol y llegar a ser un día profesional de ese gran deporte. No jugaba mal. Era delantero en el equipo infantil del Unidos Venceremos F.C., el club de mi barrio Vivaceta.

Así, mi acercamiento a la literatura empezó un domingo de verano y mientras, con mis botines de fútbol al hombro, caminaba hacia el estadio Lo Sáez —propiedad del sindicato Santiago Watt, que aglutinaba a los obreros de la compañía chilena de electricidad, Chilectra—, campo en el que se disputaba la copa del barrio.

En esos años, uno cuidaba muy bien sus botines, los embadurnaba con grasa de caballo y, según las características del campo de fútbol en que se jugaba, se cambiaban los estoperoles; blandos, de goma de viejos neumáticos cuando el terreno era blando o estaba humedecido; duros, generalmente de suela cuando el terreno estaba muy seco, y livianos, casi siempre de hueso, cuando teníamos el placer de jugar en un campo de césped.

Nuestro «Míster Pipa» —llamado así en homenaje al entrenador del cómic más leído en Chile, *Barrabases,* que dibujado enteramente por Themo Lobos cada semana entregaba un partido de fútbol imaginario—nos aconsejaba en el camerino y explicaba su táctica. Jugábamos con la clásica formación 4-2-4 y yo solía jugar de 11 o de 10, cuando nuestro ariete, el Chico Valdés, por alguna razón faltaba. Además me correspondía casi exclusivamente tirar los penaltis y, modestamente, rara vez fallé. Por último, mi misión era dar buenos pases hacia el área enemiga.

Aquel domingo caminaba por mi calle, era temprano porque los «infantiles» jugábamos a las diez de la mañana, cuando de pronto vi un camión de mudanzas frente a una casa. Una nueva familia llegaba a vivir en mi barrio, una pareja de adultos trasladaba muebles desde el camión a la vivienda, me ofrecí a echar una mano y, cuando cargaba una pequeña mesa, la vi.

Era la chica más hermosa que había visto en mis trece años de vida. Fue verla y transformarme en una furia cargadora de sillas, mesas, colchones, atados de ropa, cajas. No exagero al decir que prácticamente yo solo bajé del camión y llevé a la casa la mayor parte de los bienes de esa familia.

Cuando sentí que debía ir al estadio me despedí, la madre insistió en que me sirviera un refresco y ordenó a la hija, a la chica más hermosa que había visto en mis trece años de vida, que me trajera una Orange Crush. Recibí la botella emocionado, y entonces la madre dijo:

—Gloria, ¿por qué no invitas a tu amigo para tu cumpleaños el próximo domingo?

A decir verdad, la chica más hermosa que había visto en mis trece años de vida me invitó sin demasiado entusiasmo. Y yo marché al estadio repitiendo su nombre. Gloria. Me sentía en la gloria.

Aquella mañana jugué mal. Muy mal. Incluso perdí varios pases que eran mi especialidad; un jugador de la línea media lanzaba el balón elevado hacia el lateral derecho, y ahí siempre estuve yo, para bajarla con el pecho y seguir casi pegado a la banda blanca de cal dispuesto a que los otros delanteros invadieran el área enemiga para lanzar el pase que casi siempre terminaba en un gol del Chico Valdés o del Cabezón Apablaza. El míster me gritaba: «¡Concéntrate!, ¡¿qué diablos te pasa?!». Yo estaba en la gloria.

Los infantiles jugábamos dos tiempos de quince minutos. El segundo tiempo lo hice en el banquillo. El míster me tomaba la temperatura, preguntaba qué había desayunado. Yo seguía en la gloria.

Ese partido terminó en derrota del Unidos Venceremos F.C. Todos mis compañeros me insultaban, el míster llamaba a la calma diciendo que la nobleza del fútbol está en saber encajar las derrotas. Y yo seguía en la gloria.

Pasé una semana atroz pensando en qué regalar a Gloria por su cumpleaños. ¿Un disco? Ignoraba sus gustos musicales. ¿Un libro? ¿Cuál? ¿Una barra del mejor chocolate Costa? ¿Y si no le gustaba? Finalmente decidí desprenderme del mayor de mis tesoros, el más preciado de mis bienes, y no me dolió hacerlo. Así, el domingo siguiente, una vez duchado luego de otro partido en el que de nuevo jugué mal y que por fortuna terminó en empate, a las cinco de la tarde fui hasta la casa de Gloria con mi tesoro bien empaquetado en un vistoso papel de regalo.

La encontré rodeada de otros chicos del barrio, risueña, más hermosa que el domingo pasado y, abriéndome paso a codazos, llegué hasta ella. Temblando de emoción le di el abrazo, le musité un feliz cumpleaños y le entregué el regalo.

—Gracias —dijo, y lo dejó sobre un mueble en el que había otros regalos.

—Ábrelo —indiqué con una voz que trataba de ser segura, pero sin conseguirlo.

—Me gusta abrir los regalos cuando estoy sola —respondió, y dedicó toda su atención a los otros chicos que la rodeaban.

—¡Ahora! ¡Ábrelo ahora! —ordené, con la seguridad de saber que, apenas viera mi regalo, esa corte de tiburones se esfumaría al instante.

Sus hermosos ojos que pasaban del marrón claro al verde esmeralda se abrieron en un gesto de sorpresa, tomó el paquete, quitó la cinta, lo desenvolvió, y ante mi estupefacción cogió el mayor de mis tesoros con el gesto que cualquiera emplea para coger un ratón muerto. Musitó un «gracias» desganado y volvió a dejarlo junto a los demás obsequios recibidos.

Con un equipo de escritores invitados al Salón del Libro de Gijón (2009). De pie, de izquierda a derecha: Mario Delgado Aparaín, persona no identificada, Luis Sepúlveda, José Carlos Somoza, Milton Fornaro, Lázaro Covadlo, Javier Cercas y José Ovejero. En cuclillas: Ondjaki, Karla Suárez, Ángel Parra, Elsa Osorio, Juan Gabriel Vásquez y Enrique de Hériz.

Más de una vez había escuchado a mi padre rezongar qué difícil es entender a las mujeres, y esa tarde supe que mi viejo tenía razón.

Nuevamente me abrí paso entre los tiburones que la rodeaban, me planté frente a ella y le pregunté si sabía qué era mi regalo.

—Una foto. Y ya te di las gracias —contestó y dirigió sus ojos al grupo de tiburones que murmuraban: «Esfúmate, plomo», «Anda a ver si está lloviendo» y otras frases francamente hostiles.

El míster repetía que la nobleza del fútbol está en saber encajar las derrotas, pero también insistía en que la victoria anida en la perseverancia. Así que volví a plantarme frente a sus hermosos ojos a explicarle qué le había regalado.

—No, Gloria. No es una foto. Es *la foto* —exclamé enseñándole la fotografía de la selección chilena de fútbol con la firma de todos los cracks que en el Campeonato Mundial, jugado en Chile en 1962, es decir, hacía muy pocos meses, habían logrado un tercer lugar que honraría para siempre al fútbol chileno. Horas, días, semanas, meses me había costado conseguir todas esas firmas, entre las que destacaban las de Misael Escuti, el portero; de Jorge Toro, el goleador máximo, de Leonel Sánchez, Tito Fouillioux, de todos los inmortales.

—No me gusta el fútbol —respondió. Y en esa frase conocí el veneno de los amores imposibles.

—¿Y se puede saber qué diablos te gusta? —le espeté con la certeza de la gloria perdida.

—Me gusta la poesía —dijo antes de desaparecer de mi vida.

Pero no desapareció para siempre porque seguí pensando en ella, mirándola de lejos mientras con su uniforme del Liceo 2 de niñas se dirigía a la parada de buses. Un día cayó en mis manos un libro de poemas de Pablo Neruda: *Veinte poemas de amor y una canción desesperada*. Al leer justamente el poema veinte sentí que Neruda lo había escrito pensando en mí, y en mi gloria perdida.

Me convertí en un fervoroso lector de poesía. De García Lorca a Antonio Machado, de Gabriela Mistral a León Felipe, de Neruda a Pablo de Rokha, y con el paso del tiempo el amor por las palabras se me reveló como un amor fiel, que jamás me traicionaría.

Gloria había desaparecido de mi memoria cuando empecé a escribir poesía, o lo que yo creía que podía ser también poesía.

La vida es una suma de dudas y certezas. Tengo una gran duda y una gran certeza. La duda es si la literatura habrá ganado algo con mi militancia en la palabra escrita. Y la certeza es la de saber que, por culpa de la literatura, el fútbol chileno perdió a un gran delantero.

2014

El escritorio de Luis, en Gijón, con sus cenizas (2020)

Mis muertos

Son porfiados mis muertos
se entrometen en lo mejor del fuego
cuando derramo azúcar sobre las brasas
cuando estoy a punto de tirar el asado
cuando es domingo al mediodía
aunque no sea domingo ni mediodía
y esta arboleda esté tan lejos de Santiago

Se entrometen mis muertos
opinan sobre el fuego
les parece poco o mucho
critican el carbón que no es de espino
y exigen vino con silenciosa insistencia

Son curiosos mis muertos
se asoman por encima del hombro
cuando extiendo la masa de las empanadas
cuando es domingo al mediodía
aunque no sea domingo ni mediodía
y en esta ventana no nieve ninguna cordillera

Son críticos mis muertos
sostienen que la masa es muy floja o muy seca
que al pino le falta comino y que son tristes las pasas
censuran mis formas de doblar los bordes
y exigen viejos tangos que no sé quién trajo a esta casa.

Son tercos mis muertos
husmean entre mis páginas no escritas
cuando le doy vueltas y más vueltas a una frase
cuando es de noche y nadie tiene miedo
aunque no sea de noche y el miedo
vague como un viudo allá tan lejos en Santiago

Son insistentes mis muertos
graban sus nombres en las páginas que escribiré mañana
determinan argumentos y en ellas cantan
luchan, insisten, disparan, vencen
hasta que tu voz que suena a jardines felices
me llama desde la certeza pura del pan caliente
y recién entonces ellos callan

Son porfiados mis muertos
y por eso sé que volverán mañana
cuando sea domingo al mediodía
aunque no sea domingo ni mediodía
y estas arrugas no marquen el rostro de un hombre de
    Santiago
y estas canas no brillen bajo el sol de Santiago

208

A veces me envidian mis muertos
Dicen: «esa cana qué bien me hubiera quedado»
«qué flor de pinta me habrían dado esas arrugas»
«esos hijos de mi amor tenían que haber sido»
y cuando tú me llamas con fragancia de albahaca
les digo vengan hermanos como antes a la mesa
y entonces, solo entonces, me abrazan y callan.

Sin fecha

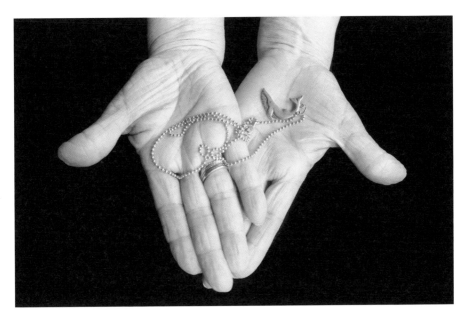

Las manos de Carmen Yáñez
con la insignia de Greenpeace de Luis (2020)

Página siguiente: El adiós de Carmen, en Biarritz (2020)

Daniel en Valparaíso (2015)